W9-BPS-651

LA MACHINE À LIRE LES PENSÉES

CROWELL'S MODERN LANGUAGE SERIES

DIRECTING EDITOR John T. Fotos PURDUE UNIVERSITY

SELECTED FRENCH SHORT STORIES. *Edited by* James L. Cattell and John T. Fotos.

ORAL FRENCH: READING AND CONVERSATION. *By* Joseph A. Landry.

THE FRENCH VERB IN ONE CONJUGATION. *By* Joseph A. Landry.

LABICHE ET MARTIN: LE VOYAGE DE MONSIEUR PERRICHON. *Edited by* Virginia Cummings Fotos and John T. Fotos.

ALEXANDRE DUMAS: LES TROIS MOUSQUETAIRES. *Edited by* James L. Cattell and John T. Fotos.

ANDRÉ MAUROIS: LA MACHINE À LIRE LES PENSÉES. *Edited by* Edward P. Shaw and Charles W. Colman

FIRST SPANISH GRADED READER. *By* Guillermo Hall and José D. Oñate

SELECTED SPANISH SHORT STORIES. *Edited by* Robert R. Ashburn

ANDRÉ MAUROIS

LA MACHINE À LIRE LES PENSÉES

Edited by
EDWARD P. SHAW, PH.D.
INSTRUCTOR IN FRENCH, UNIVERSITY OF ILLINOIS
and
CHARLES W. COLMAN, PH.D.
ASSOCIATE IN FRENCH, UNIVERSITY OF ILLINOIS

THOMAS Y. CROWELL COMPANY, NEW YORK

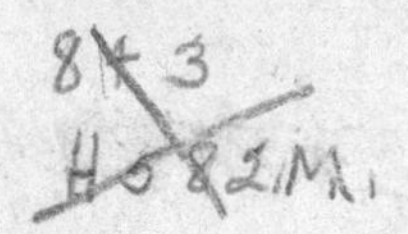

PRÉFACE DE L'AUTEUR

La Machine à lire les pensées est un conte philosophique. J'entends par là que l'auteur souhaitait, sous le masque d'une histoire et de personnages, exprimer une idée. C'est l'affaire du lecteur que de dégager cette idée. Mais je veux lui dire à l'avance que ce petit livre n'est nullement une satire des Universités américaines; c'est une satire de certains aspects du Freudisme et de l'importance, selon moi trop grande, accordée à des pensées qui ne sont que des rêves.

Je suis heureux que l'on ait pensé à faire une édition de ce livre pour les étudiants. J'espère qu'elle aidera, pour sa modeste part, à intéresser quelques-uns d'entre eux à l'étude du français. Il me semble qu'il est d'une importance capitale que cette étude reprenne, dans l'enseignement américain, la place de premier plan qu'elle avait jadis. La culture française n'a rien perdu de sa valeur littéraire, morale, ni esthétique. La France a, depuis cinq ans, beaucoup souffert; cela n'enlève rien au talent de ses écrivains, de ses peintres, de ses musiciens, à la grandeur de son passé, aux espoirs que nous gardons en son avenir.

Aux Etats-Unis, l'amitié pour la France est une tradition nationale. La culture française y a joué, après la culture anglaise, le rôle le plus grand. Il faut qu'il continue à en être ainsi, car ces deux cultures se complètent admirablement. Le monde serait bien plus pauvre sans Shakespeare, Swift et Dickens; il le serait non moins sans Montaigne, sans Pascal, sans Balzac. La liberté a besoin, pour rester debout dans un monde agité, de s'appuyer sur ces trois bases solides: Amérique, Grande-Bretagne et France. La connaissance de la langue française a longtemps été indispensable à tout Américain vraiment cultivé; elle le sera de nouveau après cette guerre. Et c'est pourquoi je me réjouis de constater qu'en pleine guerre des éditeurs ont le courage intelligent de continuer à publier des livres de lecture en français, pour les étudiants américains.

ANDRÉ MAUROIS

New York, 2 Avril 1944.

EDITOR'S PREFACE

The present edition of Maurois' *La Machine à lire les pensées* is the result of a sincere conviction, on the part of the editors, that this lively and interesting novel with its descriptions of life on an American campus could hardly do otherwise than to appeal to second-year college students of French and could be used with success not only as a reader but also as a medium for class-room discussion. In order that it may be read with greater enjoyment by a third-semester college student, a modified visible page vocabulary, containing all words and idioms above the first two thousand items of the French frequency studies, together with explanatory notes, has been printed for each page of text. The meaning of a word, once given, is never repeated. Easily recognized cognates have also been excluded from this modified visible vocabulary. The general end-vocabulary contains all the words of the text, except those borrowed from the English language. The text is reproduced exactly as written by Maurois, with the exception of Chapters XV through XIX, as well as a part of Chapters XIV and XX, which, in the opinion of the editors, offer little interest from a student's point of view. They have therefore been eliminated from the present edition.

The editors wish to express their thanks to Mr. André Maurois and to Mr. R. Gallimard, in whose *Editions de la Nouvelle Revue Française* the novel first appeared, for their kindness in permitting the publication of *La Machine à lire les pensées* as a school text. They also desire to acknowledge their indebtedness to Dr. Claude P. Viens of the University of Illinois for many helpful suggestions.

E. P. S.
C. W. C.

Urbana, Illinois

CONTENTS

INTRODUCTION

André Maurois (Emile Herzog) was born on July 26, 1885 in the city of Elbeuf, a few miles from Rouen. His father was a prominent business man, the owner of a cloth factory, which had been moved from Alsace to Elbeuf during the Franco-Prussian War. Emile was first sent to the *lycée* of Elbeuf and then to the *lycée* Corneille of Rouen, where he immediately proved his ability as a scholar of the first order. In 1901, competing with other pupils of high-school age, he won the *Prix de Version grecque* and the *Prix de Version latine*, followed, in 1902, by the *Prix de Philosophie*. His interest in philosophy continued during his studies at the University of Caen under the tutelage of Professor Chartier ("Alain"), to whom, he states later, "he owes everything."

After receiving his *licence en philosophie* and after completing his military service, Maurois worked in the family factory and spent his evenings writing stories. Unfitted temperamentally for a business career, he took advantage of his position to make an occasional commercial trip to England, and his holidays were frequently spent at a sea-side resort across the Channel. The ties between Maurois and England were further strengthened by his marriage to Janine de Szymkiewicz, a member of an aristocratic Russian family, who had been educated at Brighton and Oxford.

When the first World War was declared in 1914, Maurois became a liaison officer between the French and British armies. It was in this capacity that Emile Herzog found the material for his first book, *Les Silences du Colonel Bramble* (1918), an account of life in the English army. As a soldier he could not sign his own name to the novel, which brought him immediate fame. He chose André as a first name in memory of a cousin who had been killed in action, and as last name Maurois, which was the name of a village near Cambrai, because, he says, "I like its sad sonority." When the *interprète en mission* returned to Rouen after the war, he divided his time between his work at the factory and his increasing social activities in Paris where he lived with his wife and daughter. By 1922, with the publication of *Les Discours du Docteur O'Grady*, having a theme similar to *Les Silences du Colonel Bramble; Les Bourgeois de Witzheim*, a collection of Alsatian sketches, and *Ni Ange ni Bête*, the tale of an idealistic engineer temperamentally similar to the author of pre-war days, his literary reputation was definitely established.

In 1926, Maurois' father died, and, after much hesitation, André determined to follow a literary rather than a business career. His uncertainty concerning the wisdom of his choice is reflected in *Bernard Quesnay*, a novel in which he traces the fortunes of a man in a similar dilemma who decided to become a leader in business rather than a man of letters.

Although Maurois has made important contributions both to the genre of the novel and the essay, he is, perhaps, most famous as a biographer. The publication of *Ariel, ou la vie de Shelley* in 1923 marks the beginning of a new, interpretative method in the writing of biography. Choosing, for the most part, the lives of famous Englishmen (Shelley, Disraeli, Byron, Edward VII), he endeavors to paint an accurate picture, neither idealistic nor libellous, of his subject. Maurois obtains his material by means of sound, scientific investigation, believes in the importance of detail, and treats man as a human entity rather than as a renowned writer, statesman, or soldier.

From 1926 until the present time, Maurois has enjoyed the most productive period of his life which has led to his election to the French Academy, and to his recognition as one of the outstanding contemporary French authors. Among the books published during this period are *Climats* (1928), one of his most successful novels, imbued with a peculiar 'proustian' atmosphere; *Le Peseur d'âmes* (1931), *Le Cercle de famille* (1932), *L'Instinct de bonheur* (1934).

Besides being a writer, Maurois has also served as a university lecturer or visiting professor both in England and in the United States. In 1928 he gave a course on the art of biography at the

University of Cambridge, England, and in 1927 and 1931 he came to the United States where he served as both visiting professor and lecturer at Princeton and Harvard. After his military duties during World War II were terminated by the capitulation of France, he left his native country to reside in the United States. Since the invasion of French North Africa by the United States forces, Maurois has served as liaison officer with the French and American forces, with the rank of captain, and has just made his first report on French-American affairs. Maurois' most recent works are an account of the Battle of France (1940), two volumes of *Mémoires*, and *Seven Faces of Love* (1944), a literary-historical study of the emotion which has inspired seven outstanding French novelists.

Maurois' observations on the United States are contained in *L'Amérique inattendue* (1931), *En Amérique* (1933), *Chantiers américains* (1934) and in *La Machine à lire les pensées* (1938), which may be classified both as a *roman fantastique* and as a *roman philosophique*. Professor Dumoulin of the University of Caen accepts an appointment as a visiting lecturer at the University of Westmouth where he becomes friendly with a colleague, Professor Hickey, who has invented the psychograph, a machine for reading thoughts. The rest of the novel recounts the humorous marital difficulties of the Dumoulin family caused by the use of this machine, its revelation of the plans of a scheming professor to become the president of Westmouth, and the failure of the psychograph, when placed upon the market, to hold the interest of the public after a brilliant initial success. The machine had failed because it sought to deprive man of his inner secret self. It had sought to upset the "température morale à peu près constante" which "l'humanité, par ses religions comme par ses philosophies, cherche à maintenir," and had been quickly repudiated. Perhaps of even greater interest than the plot of the novel are Maurois' amusing comments on American university life as seen through the eyes of a Frenchman. These comments, however, are not malicious in intent and could not be construed as a satire of American academic life.

LA MACHINE À LIRE LES PENSÉES

CHAPITRE PREMIER

L'INVITATION AU VOYAGE

Bien que je sois professeur de littérature française et que[1] ma thèse sur les sources de Balzac[2] ait été accueillie avec faveur, non seulement par mes collègues, mais par des critiques plus frivoles, je n'ai jamais écrit moi-même un ouvrage d'imagination. J'avoue que, dans ma jeunesse, et alors que j'étais, comme la plupart des 5 adolescents, inquiet et romanesque, plusieurs sujets de nouvelles me tentèrent. Eussé-je succombé[3] à cette tentation que ma carrière universitaire se fût trouvée[4] dangereusement compromise. Je résistai; je m'en suis bien trouvé.[5] Le récit que je commence aujourd'hui est donc en ce genre mon premier essai. 10

Encore ne saurait-on,[6] à la lettre, le nommer œuvre d'imagination, puisqu'il est vrai, jusqu'en ses moindres détails. Je l'écris par devoir d'historien plus que par impulsion d'artiste.[7] Ayant été, malgré moi, associé à la découverte de cette machine à lire les

thèse (*f*), thesis
accueillir, to receive
ouvrage (*m*): **— d'imagination**, creative work
alors que, when
inqui-et, -ète, restless
romanesque, fanciful
nouvelle (*f*), story
succomber, to succumb, give in
tentation (*f*), temptation
trouver: se — bien de qch, to feel all the better for something
essai (*m*), attempt
lettre (*f*): **à la —**, strictly speaking, literally
découverte (*f*), discovery

1. **que** = **bien que**. 2. **Honoré de Balzac** (1799-1850), celebrated author of the Comédie humaine, a series of novels on French manners and customs. 3. **Eussé-je succombé** = **si j'avais succombé**. Omit the following **que** in translation. 4. **se fût trouvée** = **se serait trouvée**. The pluperfect subjunctive may be used, in literary style, for the pluperfect indicative or the conditional perfect in a conditional sentence. 5. **je m'en suis bien trouvé**, *I acted well in doing so* or *it was to my advantage that I did so.* 6. **saurait-on**, *one could.* Inversion caused by **encore** standing at the beginning of the sentence. 7. **par devoir d'historien plus que par impulsion d'artiste**, *more as an historian's duty than through any artistic motive.*

pensées, si célèbre pendant quelques années sous le nom de psychographe, j'ai pensé qu'il serait intéressant de noter mes souvenirs sur un tel épisode. L'intimité de certains détails m'interdit de publier ce récit tant que Suzanne et moi serons[1] vivants, mais
5 j'autorise nos enfants ou nos amis à chercher pour lui un éditeur, dès que nous aurons[2] tous deux disparu.

Le début de l'aventure nous trouve à Caen[3] et je voudrais d'abord expliquer pourquoi nous étions satisfaits, ma femme et moi, d'avoir obtenu ce poste. La famille de Suzanne était rouen-
10 naise; son père, M. Cauvin-Lequeux, conseiller à la Cour de Rouen,[4] n'avait pas quitté, au temps de sa retraite, cette ville où il comptait de nombreux amis et qu'habitaient deux de ses filles qui s'y étaient mariées, l'une, Marie-Claude, avec un industriel du pays: Maxime Heurteloup; l'autre, Henriette, avec un avocat sans
15 clients: Jérôme Lemonnier. J'indique tout de suite, puisque j'ai nommé les sœurs de ma femme, que Suzanne aimait de tout cœur Marie-Claude, personne médiocre, et s'entendait au contraire assez mal avec Henriette, de qui j'admirais, moi, l'esprit et la beauté. Quant à leurs maris, tous deux m'irritaient; Maxime, hon-
20 nête homme très estimé à Rouen parmi les «cotonniers» ses con-

noter, to note down, put on paper
éditeur (*m*), publisher
poste (*m*), position
rouennais, -e, resident(s) of Rouen, from Rouen
conseiller à la Cour (d'appel), judge (of appeal)
temps (*m*): **au — de,** at the time of
retraite (*f*), retirement (with pension)
industriel (*m*), industrialist, manufacturer, millowner
pays (*m*), region, district
avocat (*m*), lawyer
indiquer, to point out, mention
coeur (*m*): **de tout —,** with all her heart, sincerely
entendre: s'— avec, to get along with
esprit (*m*), wit
homme (*m*): **honnête —,** gentleman
cotonnier (*m*), "cotton man"

1. **serons,** *are.* The future tense must be used in French in a subordinate clause of implied futurity. 2. **nous aurons,** *we have.* See note above. 3. **Caen,** French city located in Normandy, near the English channel, northwest of Paris. 4. **Cour (d'appel) de Rouen,** Appellate Court located in Rouen, ancient capital of Normandy, situated north of Paris on the Seine River.

frères, me semblait dur et hautain; Jérôme, séduisant, paresseux et sans scrupule, ne pensait qu'à exploiter la famille de sa femme, et rendait Henriette fort malheureuse.

Dans la rue où se trouve la Préfecture,[1] et qui se nomme rue de Fontenelle, mon beau-père avait acquis une maison à quatre 5 étages,[2] dont il occupait lui-même le second, cédait le troisième au ménage Lemonnier et louait les deux autres. Je crois devoir[3] noter ces détails, parce que «la rue de Fontenelle», centre de son clan, jouait dans la vie de ma femme un rôle immense et funeste. Suzanne veillait avec des soins jaloux sur cette propriété qui, un jour, 10 serait sienne,[4] et cherchait à obtenir de son père qu'il la lui léguât tout entière. Quant aux opinions, aux préjugés, aux dégoûts de «la rue de Fontenelle», ils avaient à ses yeux plus d'importance que les idées et les sentiments des plus grands génies de notre temps.

Entre «la rue de Fontenelle» et moi-même, existaient trois 15 sujets de désaccord. L'un était l'éducation de nos enfants, très jeunes, et que ma belle-mère me reprochait de surmener, au lieu de «leur faire une santé» (ce surmenage consistant à exiger qu'ils apprissent au moins, avant l'âge du lycée, à lire et à écrire); un autre, le type d'existence de Suzanne que je «séquestrais», disait- 20

confrère (*m*), colleague
dur, severe, hard
hautain, haughty
séduisant, charming
paresseu-x, -se, lazy
scrupule (*m*): **sans —**, unscrupulous
beau-père (*m*), father-in-law
louer, to rent (out)
funeste, fatal
veiller:— sur, to watch over, guard
léguer, to bequeath
entière: tout —, in its entirety
préjugé (*m*), prejudice
dégoût (*m*), dislike
sentiment (*m*), feeling, opinion
désaccord (*m*), disagreement
belle-mère (*f*), mother-in-law
surmener, to overwork
santé (*f*): **leur faire une —**, to make them healthy, look after their health
surmenage (*m*), overwork
lycée (*m*): **l'âge du —**, high-school age
séquestrer, to sequester, to confine

1. **préfecture**, prefecture, offices of the chief administrator of a French *département*. 2. **maison à quatre étages**, *house with four floors*. In France the first floor is called **rez-de-chaussée**; hence **le premier (étage)** is *the second floor* in English. 3. **devoir = que je devrais.** 4. **sienne = la sienne.**

on, alors qu'elle «était une femme brillante et avait de grands dons» (Suzanne, d'ailleurs, ne se plaignant nullement, dès qu'elle était loin de la rue de Fontenelle, de notre vie modeste, retirée, mais parfaitement agréable); le troisième, et sans doute le plus 5 grave, une opposition irrémédiable entre les idées politiques de mon beau-père et les miennes.

Nous appartenions pourtant à une même classe sociale, qui était la moyenne bourgeoisie, mais la France depuis 1789 a ses Gibelins et ses Guelfes.[1] La famille de Suzanne s'était toujours montrée 10 conservatrice et, successivement, bonapartiste, orléaniste, ralliée, méliniste;[2] la mienne avait été dans l'opposition au temps de la monarchie de juillet,[3] républicaine sous l'Empire,[4] gambettiste,[5] puis radicale, et même, par l'un de mes oncles, socialiste. Le temps de notre mariage avait été celui où[6] les Français, pour quelques 15 années, semblaient réconciliés par la guerre,[7] de sorte que notre mutuelle inclination n'avait eu nulle peine à triompher de haines assoupies. J'étais alors officier, et mon uniforme avait paru à M. Cauvin-Lequeux, qui sans doute n'avait lu ni Stendhal,[8] ni Paul-Louis Courier,[9] symbole et garant d'une âme bien pensante. Avec

plaindre: ne se — nullement, not to complain at all
irrémédiable, irreconcilable, hopeless
bourgeoisie (*f*)**: moyenne —,** average middle-class
de sorte que, so that
inclination (*f*), affection, attraction
assoupi, suppressed, stifled, dormant
garant (*m*), guarantee
pensant: bien —, right thinking

1. **ses Gibelins et ses Guelfes,** the names of two Italian political parties which engaged in bloody quarrels from the 12th to the 16th century. 2. **bonapartiste,** follower of Napoleon; **orléaniste,** follower of King Louis-Philippe; **ralliée,** supporter of royalist deputies during the 3rd Republic; **méliniste,** follower of Julés Meline who defended the policy of high tariffs to increase the price of domestic products, a policy beneficial to the producer rather than to the consumer. 3. **monarchie de juillet,** reign of Louis-Philippe. 4. **Empire,** reign of Napoléon III. 5. **Gambettiste,** follower of Gambetta, a leading republican politician. 6. **où = quand.** A regular substitution after expression of time. 7. **la guerre = la Grande Guerre,** First World War (1914-1918). 8. **Stendhal,** pseudonym of Henri Beyle (1783-1842), author of *Le Rouge et le noir,* the self-seeking hero of which renounces the "red" of the army for the "black" of the clergy, since the clergy became more powerful than the army under the Restoration. 9. **Paul-Louis Courier** (1772-1825) a famous political pamphleteer, who, as an officer of the army, practically deserted twice.

la paix, les antiques rancunes, les méfiances ancestrales s'étaient ranimées, et, dès les élections de 1924,[1] la rue de Fontenelle, hors ma belle-sœur Henriette, m'avait excommunié, les dîners de famille y devenant pénibles pour moi, qui devais[2] chaque semaine choisir entre le silence et l'aigreur, et m'entendre en sortant 5 reprocher[3] par ma femme mon mutisme ou mon intolérance.

On comprendra maintenant pourquoi, très fier au lendemain de l'agrégation[4] d'avoir obtenu un poste au lycée de Rouen, je m'étais hâté de passer mon doctorat[5] et de demander une chaire de faculté. Caen, où j'avais pu me faire nommer, était pour nous 10 le séjour idéal. La ville est belle, tranquille, janséniste; l'Université, ancienne et illustre; le climat, salubre. Surtout j'y avais ma femme et mes enfants bien à moi,[6] tandis que Suzanne se sentait assez près de Rouen pour se replonger, chaque fois qu'elle en éprouvait le besoin, dans cette atmosphère de la rue de Fontenelle, 15 qui était pour elle comme un ballon d'oxygène. Il est indispen-

rancune (*f*), grudge
méfiance (*f*), distrust, suspicion
ranimer: se —, to revive
hors, except
excommunier, to excommunicate
aigreur (*f*), harshness, animosity, bitterness
mutisme (*m*), silence
hâter: se —, to hasten
passer: — mon doctorat, to take the examinations for my doctor's degree
chaire (*f*): **— de faculté,** professorship (in a university)
se faire nommer, to be appointed
séjour (*m*), place to live
janséniste, austere
salubre, healthful
replonger: se —, to plunge again, fall again, to immerse oneself again
ballon (*m*), balloon, **— d'oxygène,** oxygen tent

1. **élections de 1924,** at which time the hitherto powerful conservative party lost numerous seats in the Chamber of Deputies to Leftist groups. 2. **devais,** *had to.* 3. **m'entendre . . . reprocher . . .,** *hear myself . . . reproached . . . for.* The verb **reprocher** takes a direct object in French. 4. **au lendemain de l'agrégation,** *on the day after receiving my degree of agrégé* (based on a competitive examination, admits to teaching positions in the *lycées*). 5. **doctorat,** *doctor's degree,* which in France is very difficult to obtain even by Frenchmen. It requires two theses, publicly defended before one of the French University faculties, generally in Paris. The *doctorat d'Etat* assures the holder of a full professorship in a French university. 6. **bien à moi,** *very much to myself* or *all to myself.*

sable d'ajouter que nous formions le ménage le plus uni et même le plus tendre. Depuis que je laissais ma femme aller seule chez son père, tout sujet de conflit[1] entre nous avait disparu. Nos deux enfants étaient assez bien portants, mes élèves supportables, mes 5 collègues sympathiques. Enfin, autant que des êtres humains le[2] peuvent être, et malgré de légers orages, inévitables, me semble-t-il, en toute vie conjugale, nous étions heureux.

Ce fut un jour d'avril 1925, que ma femme, alors que je préparais un cours public sur Malherbe,[3] entra soudain dans mon cabinet de 10 travail et me dit qu'un vieil Américain demandait à me voir.

— Un vieil Américain? Quel est son nom?

— Spencer . . . Le président Spencer . . . Voici sa carte.

Je lus: «Docteur Théodore B. Spencer, président de l'Université de Westmouth».

15 — Je ne le connais pas, dis-je à Suzanne, mais Westmouth est l'une des institutions les plus respectables des États-Unis et son président un personnage important . . . Je vais le recevoir tout de suite.

Elle fit entrer un homme de soixante ans environ, au[4] visage 20 rasé, aux yeux très doux, encerclés de lunettes d'écaille, et qui donnait, dès le premier abord, une plaisante impression de bonté. Parlant français avec une extrême lenteur et une onction tout ecclésiastique,[5] il m'apprit que l'Université dont il était le président souhaitait désormais faire venir chaque année de France un

uni, harmonious
conflit (*m*), conflict
portant: bien —, in good health
supportable, tolerable
sympathique, congenial, friendly
autant que, in so far as
cabinet (*m*): **— de travail**, study
rasé, shaved
encerclé, encircled
lunettes (*f. pl.*), glasses
écaille (*f*), tortoise-shell
abord (*m*): **dès le premier —**, from the very first
plaisant, pleasing
lenteur (*f*), slowness

1. **tout sujet de conflit,** *every discordant note,* or *every subject that was the cause of friction.* 2. **le**, omit. 3. **Malherbe** (1555-1628), a lyric poet born in Caen. 4. **au,** *with a*; **à** is commonly used in phrases denoting physical characteristics. 5. **une onction tout ecclésiastique,** *all the smoothness of a churchman.*

professeur qui commenterait, devant les étudiants, un de nos écrivains.

— Nous avons reçu, me dit-il, pour cette chaire, une fort belle dotation. L'industriel le plus riche de la région est un immigrant alsacien qui souhaite encourager, par tous les moyens, l'enseignement du français aux États-Unis. Le chef de notre Département des langues romanes, le[1] professeur Macpherson, a pensé que Balzac serait, pour commencer l'expérience, l'auteur auquel nos jeunes hommes mordraient le plus volontiers,[2] et que vos travaux, votre thèse, vous désignaient pour parler de lui . . . Vous savez, nous a-t-on dit, un peu l'anglais, ce qui rendra votre vie chez nous[3] infiniment plus agréable . . . Comme je venais en France, je me suis chargé de faire un saut jusqu'à Caen et de vous offrir le poste . . .

— Mais il m'est difficile, commençai-je . . .

Il leva la main pour m'arrêter et continua:

— Laissez-moi vous parler du côté «sordide» de cette transaction . . . Le traitement serait de trois mille dollars pour un terme universitaire, c'est-à-dire environ quatre mois . . . votre voyage payé, ainsi que celui de votre femme . . . car nous attachons un prix tout particulier à ce que Madame Dumoulin vous accompagne.[4] L'université vous louerait, pour une somme très modique, une

commenter, to criticize, analyze, comment on
dotation (*f*), endowment
alsacien, -ne, Alsatian, from Alsace
romane: langue —, Romance language
expérience (*f*), experiment
infiniment, infinitely
charger: se — de, to take it upon oneself
mordre, to bite; **— à,** to take to
saut (*m*), jump, hop
traitement (*m*), salary
ainsi que, as well as
louer, to rent, lease
modique, moderate

1. The definite article is used in French before a title, except in direct address. 2. **auquel nos jeunes hommes mordraient le plus volontiers,** *whom our young men would study with the most willingness and pleasure.* 3. **chez nous,** *with us, in our community.* 4. **car nous attachons un prix tout particulier à ce que Madame Dumoulin vous accompagne,** *for we set a very special value on having Madame Dumoulin accompany you.*

petite maison meublée . . . Vous feriez[1] deux cours publics par[2] semaine et dirigeriez en outre un «séminaire» pour les meilleurs de vos élèves . . . Voilà, professeur Dumoulin, le message que je devais vous transmettre . . . Ma tâche est remplie . . . Je vous conseille
5 très vivement, et amicalement, d'accepter . . . Oui . . . Vous ne le regretterez pas.

Surpris, hésitant, je répondis que je connaissais la haute réputation de Westmouth et la valeur personnelle de Macpherson (qui est en effet l'auteur de l'atlas linguistique de l'Auvergne[3] méri-
10 dionale), que j'étais donc fort touché de ce choix, mais que, d'une part, je ne savais si le ministère[4] et la Faculté m'autoriseraient à me faire remplacer et que, d'autre part, je me demandais si ma femme consentirait à s'éloigner pour plusieurs mois de ses enfants et de ses parents . . .

15 — Je sais, dit-il, en souriant, je sais . . . Les ménages français se plaisent à ces discussions sans fin où[5] toute la famille, jusqu'aux arrière-cousins, pèse les mérites d'un projet . . . J'ai observé cela bien souvent . . . Il faut vous dire que Mrs Spencer et moi-même aimons la France et y passons toutes nos vacances dans de petites
20 villes de province . . . à Caudebec,[6] à Brantôme,[7] à Vézelay[8] . . .

meublé, furnished
outre: en —, besides, in addition
séminaire (*m*), seminar
transmettre, to transmit, pass along
rempli, accomplished
amicalement, amicably, in a friendly way
surpris, surprised
valeur (*f*), worth
linguistique, linguistic
méridional (*pl.* -aux), southern
d'une part . . . d'autre part, on the one hand . . . on the other
remplacer, to replace, take the place (of)
demander: se —, to wonder
éloigner: s' —, to go away
plaire: se — à, to take delight in
arrière-cousin (*m*), distant-cousin
vacances (*f. pl.*), vacation

1. feriez, *would give.* 2. par, *a.* 3. Auvergne, province in the south central part of France. 4. ministère, *i.e.*, ministry of public instruction. Public schools and universities in France are under the supervision of a minister, appointed by the premier. 5. où = dans lesquelles. 6. Caudebec = Caudebec-en-Caux, small town on the Seine river of about 2000 inhabitants, in the Seine-Inférieure, near Rouen. 7. Brantôme, small town in Dordogne of about 2000 inhabitants, near Périgueux. 8. Vézelay, small town in Yonne, of about 700 inhabitants. It was here that Saint Bernard preached the second crusade in 1147. It has a magnificent church, remnants of an abbey founded in 864.

Oui . . . Oh! nous avons bien exploré votre pays . . . Peut-être le connaissons-nous mieux que vous . . . Oui, oui . . . Si vous acceptez de venir à Westmouth, Mrs Spencer s'occupera elle-même de Madame Dumoulin . . . Je comprends très bien que vous ayez besoin de quelques jours pour réfléchir, mais comme, si vous refusez, il faudra que je cherche un remplaçant, je vous prie de me répondre assez rapidement . . . Quant à l'autorisation de votre ministère, je sais que vous l'obtiendrez sans difficulté car j'ai, avant de vous voir, consulté le . . . comment le nommez-vous? . . . directeur de l'Enseignement supérieur . . . Oui . . . et il approuve . . . *Well, good bye*, professeur Dumoulin.

Nous passâmes, Suzanne et moi, la soirée qui suivit cette visite à discuter la proposition du président Spencer. Quitter les enfants était douloureux; les emmener, difficile et ruineux. Suzanne proposa de les mettre en pension rue de Fontenelle, chez ses parents; j'y voyais deux inconvénients: ma mère, très jalouse de mes beaux-parents, ne manquerait pas de protester, et ma belle-mère aurait là une occasion trop belle d'appliquer ses idées, selon moi dangereuses, sur l'éducation. Ma femme semblait tentée par le traitement offert; je lui fis remarquer que nos dépenses seraient sans doute, elles aussi, plus élevées en Amérique, et que, d'ailleurs, nous serions obligés de conserver notre maison de Caen pour y loger mes livres et mes fiches. Enfin l'attrait du voyage, l'intérêt que je trouvais à faire connaître le vrai Balzac à des étudiants américains, et surtout la personne de ce président qui nous avait plu à tous deux par son air de sérieux et d'honnêteté emportèrent notre accepta-

accepter, to agree to
occuper: s' — de, to look after
remplaçant (*m*), substitute
enseignement supérieur, higher education
douloureu-x, -se, painful
ruineu-x, -se, ruinous, excessively expensive
mettre en pension, to board
inconvénient (*m*), objection
beaux-parents (*m. pl.*), parents-in-law
faire remarquer à, to call to one's attention
conserver, to keep
loger, to store
fiche (*f*), card (*loose index*), slip of paper, note
attrait (*m*), attraction, charm
sérieux (*m*), seriousness
honnêteté (*f*), integrity, respectability
emporter, to gain, win, clinch

tion. J'écrivis au docteur Spencer que nous arriverions en Amérique, comme il le souhaitait, à la fin de septembre.

Je me félicitai bientôt d'avoir pris cette décision rapidement et avant que Suzanne n'eût[1] revu ses parents, car la rue de Fon-
5 telle mobilisa aussitôt contre notre projet cette force collective qui, toujours puissante, devenait irrésistible lorsque ses habitants ignoraient tout d'une question. M. Cauvin-Lequeux, qui, je crois bien, n'avait jamais vu un Américain, haïssait avec une héroïque vigueur les cent trente millions d'êtres humains qui peuplent les
10 États-Unis. Il me reprocha d'entraîner sa fille vers un pays où elle serait enlevée par des gangsters, corrompue par des bootleggers et conduite, innocente, à la chaise électrique, par une justice barbare. Cette image, toute romantique, effraya tant Suzanne que peut-être eût-elle[2] battu en retraite si ma belle-mère, doublement
15 heureuse d'arracher les enfants à ma sinistre influence et à l'affection rivale de ma mère, n'avait fini par prendre mon parti. Quand le front de la rue de Fontenelle était rompu, celle-ci devenait vulnérable, et nous partîmes, à la date choisie, sur le paquebot *France*.

féliciter, to congratulate
question (*f*), issue, subject
haïr, to hate
vigueur (*f*), vigor
peupler, to populate, inhabit
corrompu, corrupted
barbare, barbarous, inhuman
image (*f*), picture
romantique, romantic
battre en retraite, to beat a retreat, back out
parti (*m*): **prendre —**, to side, take sides
front (*m*), battle-front
paquebot (*m*), steamer, liner

1. The pleonastic **ne**, frequently used after **avant que**, is not to be translated.
2. **eût-elle** = **aurait-elle**. Inversion after **peut-être**, the initial word in an independent clause.

CHAPITRE II

L'UNIVERSITÉ DE WESTMOUTH

Westmouth nous enchanta. Bien que je ne partageasse point au sujet de l'Amérique les préjugés de mon beau-père, j'attendais, sur la foi des descriptions classiques de New-York et de Chicago, un pays hérissé de gratte-ciel,[1] un grouillement sonore d'automobiles, un pittoresque et incohérent mélange de races. A la vérité, tel fut 5 bien le spectacle que m'offrirent, quand je les traversai rapidement, quelques grandes villes. Mais, à notre extrême surprise et vive joie, nous trouvâmes au contraire en Westmouth une petite cité anglaise du XVIIIᵉ siècle. Créée vers 1750 en un lieu qui était alors sauvage, pour recueillir et évangéliser les Indiens, l'université 10 avait conservé depuis cette époque de charmants édifices dont le plus curieux était la maison du fondateur, gracieux cottage de bois, qui marquait le centre du *campus*.

Ce *campus* était l'immense prairie, presque entièrement encerclée par la courbe d'une rivière, sur laquelle se trouvaient groupés 15 nos bâtiments. Les plus anciens servaient de bureaux au président et au doyen. Autour d'eux étaient des collèges bâtis dans ce style «gothique universitaire» qui semble hanter aux États-Unis les architectes académiques. Certains de ces cloîtres étaient entourés de chambres d'étudiants, d'autres de salles de conférences; chacun 20 d'eux portait le nom du donateur. Ainsi l'amphithéâtre où je faisais mon cours se nommait *Higgins* 65, étant la chambre 65 du

foi (*f*): **sur la — de,** on the word of, on the strength of
foi (*f*): **sur la — de,** on the honest opinion of, on the truthfulness of
classique, classical
hérissé, bristling
gratte-ciel (*m*), sky-scraper
grouillement (*m*), rumbling, swarm
pittoresque, picturesque
mélange (*m*), mixture
évangéliser, to evangelize, convert
édifice (*m*), building
fondateur (*m*), founder
gracieu-x, -se, graceful
prairie (*f*), meadows, field
courbe (*f*), curve, bend
doyen (*m*), dean
hanter, to haunt, obsess
conférence (*f*): **salle de — s,** lecture room
porter, to bear

1. **gratte-ciel,** has the same form in the plural as in the singular.

palais offert à Westmouth par John Higgins, le roi des machines agricoles, dont j'avais vu si souvent dans la plaine de Caen les moissonneuses et faucheuses peintes de couleurs vives, sans me douter que je connaîtrais bientôt le constructeur.

5 Je veux tout de suite noter que cette puissance, dans les universités américaines, des *alumni*, ou anciens élèves, est un des traits qui en elles me choquèrent. Comme les meilleures de ses sœurs, l'université de Westmouth est une fondation privée,[1] qui n'attend de l'État aucun subside. Elle vit des dons qu'elle reçoit et des 10 revenus de ses biens, qui sont immenses. Un conseil de *trustees* (ou administrateurs) contrôle ses finances, nomme le président et prend[2] avec celui-ci les décisions importantes. Or, si l'on ne peut que louer la générosité des *alumni* qui savent trouver aisément cent, deux cents, trois cent mille dollars si le président leur fait 15 comprendre que cette somme est nécessaire pour maintenir le prestige de l'université ou augmenter le traitement des professeurs, il est impossible de ne pas regretter la puissance qui se trouve ainsi donnée à l'argent. Imagine-t-on en France la Sorbonne[3] contrainte de changer ses programmes à la requête d'un constructeur d'au- 20 tomobiles? Ce fut exactement ce que je vis à Westmouth quand le[4] vieux Scripps y[5] imposa, malgré les professeurs, une école com-

agricole, agricultural
moissonneuse (*f*), reaper
faucheuse (*f*), mower
constructeur (*m*), builder, manufacturer
trait (*m*), feature, characteristic
choquer, to shock
subside (*m*), subsidy, financial aid
biens (*m. pl.*), capital
conseil (*m*), board
louer, to praise
aisément, easily
contraint, compelled
programme (*m*): — **d'études**, courses
requête (*f*), request
commerciale: **école —**, business school

1. **est une fondation privée**, *is privately endowed*. 2. **prend**, *makes*. 3. **la Sorbonne**, was formerly the school of theology. Since the 19th century, the building of the **Sorbonne** is a part of the University of Paris and houses the College of Arts and Sciences of this University. Often the University of Paris is understood by this term. The visiting French professor is shocked by the influence of the alumni of American colleges and universities, as the program of studies of all the 16 French universities is completely unified, as prescribed by the minister of National Education. 4. **le**, omit. The definite article is used in French before a modified proper noun. 5. **y**, *upon it*.

merciale. Et c'était ainsi, je dois l'avouer, qu'avait été fondée par Morgenstein, fabricant de produits chimiques, la chaire que j'occupais moi-même.

Une autre conséquence de la puissance des *alumni* est la place, excessive à mes yeux de professeur français, qui est à Westmouth, 5 comme en d'autres collèges, donnée aux sports. Football en hiver, base-ball en été sont les deux pôles de la vie universitaire. Les matches joués chaque samedi contre des équipes rivales attirent dans la petite ville jusqu'à cinquante et soixante mille spectateurs. Naturellement, les anciens élèves, qui viennent de fort loin pour 10 assister à ces matches, sont irrités quand il leur faut enregistrer défaite sur défaite. J'ai entendu moi-même John Higgins dire sévèrement au président Spencer: «*Mister President, we want less scholarship and more victories* . . .» Moins d'érudition et plus de victoires . . . Il semblait parfois que ce fût là[1] l'un des articles du 15 programme de Westmouth et tel «coach», entraîneur d'équipe, y était mieux payé qu'un professeur de philosophie, ou que moi-même.

Il me faut dire quelques mots de la maison qui nous avait été réservée, 302 Lincoln Avenue. Elle formait avec les autres 20 maisons de professeurs un quartier fleuri, caché dans les arbres et divisé en carrés égaux par des routes tranquilles qu'animaient seuls le chant des oiseaux et les bonds des écureuils qui grimpaient au long des érables et des sycomores. Plus tard, M. Cauvin-Lequeux refusa de me croire quand je lui dis que l'on voyait dans les rues de 25 Westmouth beaucoup moins d'automobiles que dans celles de Rouen. C'était pourtant vrai. Aux étudiants il était interdit de

fabricant (*m*), manufacturer
produit chimique, chemical product
équipe (*f*), team
enregistrer, to record
défaite (*f*), defeat
entraîneur (*m*), trainer, coach
fleuri, adorned with flowers
carré (*m*), square
bond (*m*), jump, leap
écureuil (*m*), squirrel
grimper, to climb
long: au — de, up and down
érable (*m*), maple-tree

1. **là**, used to emphasize **ce**.

posséder une voiture, et peu d'étrangers fréquentaient, sauf les jours de matches ou de bals, notre cité universitaire.

Nous eûmes, Suzanne et moi, comme tous mes collègues, un petit jardin; aucune barrière ne l'entourait et une pelouse continue 5 s'étendait autour des douze maisons du «bloc». Mon beau-père nous avait menacés de *gangsters* et de *kidnappers*. Je donnerai quelques idées de la tranquillité de Westmouth en disant que ceux de ses habitants qui devaient partir en voyage pour quelques jours laissaient ouverte la porte de leur maison afin de permettre au 10 facteur d'entrer et de déposer sur la table des lettres que l'on y savait en parfaite sécurité.[1]

Sur ce petit monde de trois ou quatre mille âmes, professeurs, étudiants, serviteurs, régnaient le président et Mrs Spencer. J'emploie à dessein le mot «régnaient» car l'autorité du président 15 ne ressemblait en rien à celle, tout extérieure, administrative et d'ailleurs contrôlée, d'un recteur français.

Aucun membre du Congrès, aucun gouverneur d'état, aucun fonctionnaire fédéral n'aurait eu le droit d'intervenir auprès du docteur Spencer. Choisi par le Conseil des *trustees*, inamovible, 20 sauf en cas de faute grave, celui-ci ne relevait que de sa conscience. Son pouvoir était à peu près absolu et Mrs Spencer, plutôt qu'à l'épouse d'un grand fonctionnaire, me fit toujours penser à la femme du gouverneur de quelque colonie lointaine, ou, mieux encore, à la souveraine d'une petite principauté. Elle exerçait sur 25 les étudiants et sur «les ménages de la Faculté» une tyrannie

bal (*m*), ball, dance
barrière (*f*), fence
pelouse (*f*), lawn
"bloc" (*m*), block
tranquillité (*f*), calmness
facteur (*m*), postman
dessein: à —, intentionally
rien: en —, in no way
extérieur, outward
contrôler, to check, control
recteur (*m*), rector, French university president
fonctionnaire (*m*), public official
intervenir: — auprès de, to interfere with, impose one's authority upon
inamovible, permanent, irremovable
relever: — de, to depend upon
souveraine (*f*), sovereign, queen
principauté (*f*), principality

1. **que l'on y savait en parfaite sécurité,** *which they knew would be absolutely safe there.*

maternelle, douce, raisonnable mais inflexible. Dès notre arrivée, elle entreprit d'indiquer à Suzanne ce que seraient ses devoirs.

— *Well, well,* Mrs Dumoulin, vous allez passer quelques dures journées . . . Vous trouverez chez vous demain matin deux cents cartes de visite; ce sont celles de la Faculté . . . Naturellement, 5 vous commencerez aussitôt à les rendre, mais ne vous pressez pas trop; vous avez toute la semaine . . . Votre première visite sera pour la femme du doyen, Mrs Philipps, qui est un peu susceptible . . . Ensuite, vous irez chez Mrs Macpherson parce que son mari est le chef du Département des langues romanes auquel vous appartenez 10 . . . Le professeur Macpherson, le président et moi-même assisterons au premier cours de M. Dumoulin . . . Vous y viendrez aussi . . . Ensuite, nous laisserons le professeur seul avec ses étudiants . . . A propos des étudiants, vous a-t-on dit, Mrs Dumoulin, que vous devrez donner un thé pour les élèves de votre mari une fois par 15 semaine? . . . Le mercredi est le jour le moins chargé . . . Ainsi auront-ils[1] l'occasion de parler français avec vous . . . Ah! Notez, Mrs Dumoulin, que les étudiants préfèrent aux boissons chaudes les glaces . . . Oui, même en hiver . . . Je vous conduirai chez le glacier . . . Il y a ici deux bouchers, Mrs Dumoulin; vous prendrez 20 Hoffmann . . .

Ce monologue de Mrs Spencer continua longtemps. Le premier jour son assurance et son activité effrayèrent un peu Suzanne, mais plus[2] nous la connûmes, plus[2] nous apprîmes à l'estimer. C'était une femme très bonne, pleine de sens, et qui nous pilota 25 tous deux, avec adresse et douceur, parmi les récifs d'étiquette et de susceptibilité que cachait sous sa surface tranquille cette petite ville. Mrs Spencer était autoritaire parce que c'était pour elle le

entreprendre, to undertake
presser: se —, to hurry
susceptible, sensitive, touchy
propos: à — de, speaking of
chargé, busy
boisson (*f*), drink
glace (*f*), sherbet, ice-cream
glacier (*m*), ice-cream vendor
boucher (*m*), butcher
assurance (*f*), self-confidence
activité (*f*), activity, energy
piloter, to pilot, steer, guide
récif (*m*), reef
susceptibilité (*f*), sensitiveness, touchiness
autoritaire, authoritative; "bossy"

1. Inversion after the initial **ainsi.** 2. **plus . . . plus,** *the more . . . the more.*

seul moyen d'être respectée et de maintenir la paix dans sa principauté. Admirable organisatrice, elle savait recevoir dans sa belle maison de Lakeview les mille étudiants d'une nouvelle promotion ou d'une classe qui quittait l'université; reconnaître les plus
5 éminents de ces jeunes hommes, «as» de football ou rédacteur du journal de Westmouth, l'*Argonaute;* dire à chacun quelques mots aimables et employer utilement, en ces grands jours, toutes les femmes de la Faculté.

— Bonjour, Mrs Dumoulin, disait-elle . . . Vous avez l'air plus
10 jeune que jamais . . . L'air de Westmouth vous convient à merveille . . . On me dit que le dernier cours de votre mari a été remarquable . . . *Well, well, well, well* . . . et maintenant, allez nourrir ces garçons . . . Mrs Philipps vous montrera ce que vous aurez à faire. Je crois que vous êtes chargée des gâteaux. Allez, allez . . . Bonjour
15 Mrs Hickey . . . Comment vont les recherches du professeur? *Well, well, well, well* . . . Je crois que vous êtes chargée du thé . . . avec Mrs Griggs . . . Allez, allez . . . Bonjour, Mrs Waldmann . . . Je sais que vous venez d'être grand'mère ce matin . . . *Well, well, well, well* . . . Une très jeune grand'mère . . . . Je crois que vous
20 êtes à la table des sandwichs . . . Allez, allez . . .

En rapportant ces propos, je revois le visage affable de Mrs Spencer, les beaux jardins de Lakeview, l'interminable défilé des professeurs et de leurs épouses, Suzanne, très fraîche dans une robe de toile à fleurs,[1] les jeunes visages des étudiants et je n'évoque
25 pas sans émotion un passé qui, malgré d'inévitables incidents, fut, dans ce pays si neuf et si confiant, plus heureux que le difficile présent[2] de notre Europe.

organisatrice (*f*), organizer
as (*m*), ace, star
rédacteur (*m*), editor
merveille: à —, marvelously, wonderfully well
chargé de, in charge of
gâteau (*m*), cake
allez, allez, well, well
thé (*m*), tea
propos (*m*), words
défilé (*m*), parade
frais, fraîche, youthful, sweet
confiant, confident

1. **une robe de toile à fleurs,** *a flowered linen dress.* 2. **le difficile présent,** *the difficult present time,* refers to the confused political condition in Europe in 1938 when this novel was published, with France and England trying desperately to appease Hitler and avoid World War II.

CHAPITRE III

302, LINCOLN AVENUE

La maison qu'avait choisie pour nous Mrs Spencer était, comme presque toutes celles de Westmouth, un cottage construit en[1] bois et qui ressemblait à une vaste cabane de pionniers. Je crois qu'il est impossible de comprendre l'Amérique si l'on néglige en elle ce côté «frontière». Dès que l'on quitte les grandes villes, on le retrouve. En beaucoup de jeunes Américains j'ai observé comme[2] une nostalgie de la prairie, de la forêt, de la vie libre du trappeur. A Westmouth, nos étudiants s'affiliaient presque tous à un club forestier qui entretenait dans les bois voisins des huttes de branchages où, de temps à autre, un garçon ayant besoin de solitude pouvait aller passer deux ou trois jours pendant lesquels il faisait lui-même cuire sa nourriture et méditait librement sous les étoiles.

Suzanne, qui aimait les conversations interminables avec une cuisinière ou une femme de chambre, souffrait de n'avoir pas de serviteurs permanents, mais, pour mon compte, je fus souvent amusé par le pittoresque de notre vie. Une belle négresse, Rosita, venait faire notre cuisine; un jeune homme en chemise ouverte à

cabane (*f*), cabin
pionnier (*m*), pioneer
"frontière," frontier
nostalgie (*f*), nostalgia, longing
libre, unconfined
trappeur (*m*), trapper
affilier: s' — à, to join, become affiliated with
foresti-er, -ère, forest, outing
entretenir, to maintain
hutte (*f*), hut
branchage (*m*), branches, boughs
temps: de — à autre, from time to time
cuire: faire —, to cook
nourriture (*f*), food
cuisinière (*f*), cook
compte: pour mon —, as for me
pittoresque (*m*), picturesque character, (manner)
cuisine (*f*): **faire notre —**, to do our cooking
chemise (*f*), shirt

1. **en**, *of*. The use of **en** rather than **de** is common in expressions denoting material. 2. **comme**. *something like.*

la Shelley,[1] sans veston, sans chapeau, s'arrêtait devant notre porte quelques minutes après le moment où l'un de nous téléphonait pour demander un taxi; un jardinier collectif, Mr Bamann, ratissait nos allées comme celles de nos voisins; un vieux Hollan-
5 dais, aimable et philosophe, entrait chez nous chaque matin pour allumer notre calorifère. «Professeur, me disait-il, trouvez-vous[2] que l'anglais soit une langue musicale?» — «Cela dépend, répondais-je, de[3] ceux qui l'emploient; si une grande actrice anglaise récite du Shakespeare, c'est ravissant; si l'anglais est parlé par vous
10 ou par moi . . .» — «Non, professeur, interrompait le Hollandais, tout en vérifiant l'état de mon frigidaire, non, l'anglais n'est pas une langue musicale; le hollandais est une langue musicale.»

A notre droite, habitait mon chef, le professeur Macpherson, homme doux, estimable et fanatique. Rien au[4] monde n'existait
15 à ses yeux que[5] son métier qui était d'enseigner le vieux français et le provençal.[6] Il paraissait étrange et assez noble que ce descendant de puritains écossais consacrât sa vie et celle de quelques adolescents, venus de Chicago ou de Kansas City, à comparer cinq versions d'une obscure chanson de geste du onzième siècle, à louer
20 Albéric de Besançon[7] ou Gautier de Lisle,[8] et à éditer un atlas linguistique de la France. Mais Westmouth trouvait cela tout naturel et entretenait en France quelques auxiliaires, choisis pour

veston (*m*), jacket
jardinier (*m*), gardener
collecti-f, - ve, hired by all
ratisser, to rake, clean
allée (*f*), walk
philosophe, philosophical
calorifère (*m*), stove, heater, furnace
ravissant, charming
vérifier, to check
estimable, worthy of esteem, fine
fanatique, fanatical
puritain (*m*), Puritan
écossais, Scotch
chanson de geste (*f*), medieval epic
auxiliaire (*m. or f.*), assistant

1. **à la Shelley,** *like Shelley, in the style of Shelley* (a celebrated English poet of the 19th century). 2. **trouvez-vous = croyez-vous** or **pensez-vous,** and may therefore be followed by the subjunctive. 3. **de,** *upon.* 4. **au,** *in the.* 5. **que,** *except.* 6. **provençal,** language of Provence, located in the southeastern part of France. 7. **Albéric de Besançon,** a medieval poet recognized as the first occidental to write a poem on the Alexander saga. 8. **Gautier de Lisle,** a poet who wrote in Latin another poem on the Alexander saga (12th century).

la justesse de leur oreille, qui devaient aller, dans toutes nos provinces, noter avec soin les déformations des mots usuels.

Quand le professeur Macpherson sut[1] que Suzanne était rouennaise, il s'intéressa passionnément au léger accent normand de ma femme, essaya de savoir par elle si la prononciation paysanne du 5 mot chat, qui est en Normandie à peu près «cat», peut être observée à Rouen, au Havre, à Caen, à Dieppe,[2] en quels quartiers, en quelles classes sociales, et il la méprisa un peu quand il reconnut que les idées sur ce sujet de la pauvre Suzanne étaient fort vagues. Quant à Mrs Macpherson, elle vint dès le premier 10 soir, au clair de lune, nous dire qu'elle voulait nous traiter «en bonne voisine» et nous reconnûmes vite qu'elle donnait à ce mot un sens plein et généreux qu'il n'a plus guère en France que[3] dans les quartiers populaires.

A notre gauche était la maison du physicien Hickey, une des 15 gloires de l'université, car il avait obtenu à trente-huit ans le prix Nobel[4] pour ses recherches sur la constitution de l'atome. Hickey était, non un Américain, mais un Anglais, élève de Thomson et de Rutherford[5]; la faculté de Westmouth, presque aussi fière de ses laboratoires que de ses équipes de football, s'était attaché cet 20 homme de génie en lui donnant, pour ses recherches, des crédits à peu près illimités. Il[6] existait une Mrs Hickey, petite femme assez jolie, mais pendant la première quinzaine de notre séjour, nous vîmes peu ce couple qui n'avait pas, sur les devoirs de bon voisinage, les mêmes idées que les ménages américains. Ceux-ci

justesse (*f*), accuracy
usuel, -le, common, ordinary
passionnément, tremendously
normand, Norman
mépriser, to look down upon, scorn
clair (*m*): **— de lune**, moonlight
physicien (*m*), physicist
constitution (*f*), composition
attacher: s'—, to acquire
illimité, unlimited
quinzaine (*f*), fortnight
voisinage (*m*), neighborliness

1. **sut**, *found out.* 2. **Rouen, Le Havre, Caen, Dieppe,** cities in Normandy. 3. **qu'il n'a plus guère en France que,** *which it now scarcely has in France except.* 4. **le prix Nobel,** a prize given by Alfred Nobel, a Swedish chemist, for outstanding work in literature, science, philanthropy, etc. 5. **Thomson and Rutherford,** famous English physicists. The former discovered the electron and the latter the proton. 6. **Il,** *There.*

5 envahissaient notre existence, avec une gentillesse infinie qui combattait utilement notre tendance toute française à enclore de murs et de haies notre vie de ménage; les Hickey, très britanniques, nous saluaient avec courtoisie s'ils nous rencontraient et montraient clairement qu'ils ne souhaitaient aucune intimité.

10 Une circonstance fortuite nous rapprocha pourtant d'eux dès la troisième semaine de notre séjour et je dois la décrire avec quelque détail, parce qu'elle constitue le premier épisode de l'aventure que j'ai entrepris de conter.

Hickey eut besoin, pour ses recherches, de la traduction d'un 15 mémoire français, et m'aborda, un jour, à la sortie de mon cours,[1] pour me demander mon aide. J'ai toujours eu un goût vif, malgré mon ignorance, pour les sujets scientifiques et je répondis avec empressement que j'étais à la disposition de mon collègue. Il me pria de venir le plus tôt[2] possible, de sorte que, le même soir, je me 20 trouvai installé chez lui dans un excellent fauteuil, m'efforçant de lui lire à haute voix, en mauvais anglais, le texte français assez difficile qu'il m'avait remis. Le sujet du mémoire était l'action des rayons cosmiques sur les mutations des êtres vivants. Je m'en tirai de mon mieux,[3] bien qu'un peu embarrassé par les termes 25 techniques. Vers dix heures, notre travail étant achevé, Hickey alla chercher deux verres, une bouteille d'eau gazeuse et du whisky.

— Eh quoi! lui dis-je, malgré la prohibition? . . . Vous me mettez dans un grand embarras . . . Ce matin encore, le président

gentillesse (*f*), gracefulness, amiability
tendance (*f*), tendency
enclore (de), to enclose (with)
britannique, British
circonstance (*f*), occurrence, event
fortuit, fortuitous, unforeseen
rapprocher: — de, to bring together, draw nearer to
conter, to relate, tell
traduction (*f*), translation
mémoire (*m*), article, report
sortie: à la — de, after
empressement (*m*), eagerness; **avec —**, eagerly
disposition: à la — de, at the disposal (service) of
installé, seated
voix: à haute —, aloud
remettre, to hand over, give
mutation (*f*), change
eau: — gazeuse, soda water

1. **à la sortie de mon cours**, *when my class was over.* 2. **le plus tôt = aussitôt que.** 3. **Je m'en tirai de mon mieux**, *I got along as well as I could.*

Spencer m'a recommandé d'observer strictement cette loi . . . que pourtant il juge absurde. La faculté de Westmouth, m'a-t-il dit, ne doit pas être soupçonnée . . .

— Ce sont de nobles paroles, dit Hickey en riant, mais je ne suis pas américain et d'ailleurs j'achète mon whisky au[1] shériff chargé d'en interdire la vente[2] . . . Cela m'affranchit de tous scrupules . . . Et je prends les vôtres à mon compte . . . Buvez en paix . . . J'espère que ce travail ne vous a pas trop ennuyé.

— Bien au contraire . . . Mais je ne savais pas que vous vous intéressiez à la biologie . . . Je vous croyais physicien pur.

— Vous aviez raison, dit-il; mes recherches personnelles sont de physique pure . . .

— Et puis-je vous demander? . . .

— Quel en est l'objet? . . .Oh! C'est bien technique . . . Comment vous dire[3] cela en un mot . . . Je cherche à faire ce que les alchimistes du moyen âge appelaient des transmutations . . . c'est-à-dire des transformations de certains corps en certains autres . . . Prenons un exemple . . . Je ne désespère pas de transformer bientôt, par un bombardement méthodique, des atomes d'argent en cadmium.

— Ce qui prouverait . . .

— Ce qui prouverait que c'est possible, tout simplement . . .

— Croyez-vous, comme les alchimistes, que les hommes fabriqueront un jour de l'or, de l'argent, du mercure . . .?

— Sans aucun doute, dit-il, en s'asseyant en face de moi son verre à la[4] main . . . Que les synthèses de *tous* les corps simples puissent un jour être réalisées, cela me paraît probable . . . Il est même possible que tous soient des arrangements divers d'une matière unique . . .

recommander, to advise
affranchir, to release, free
compte: prendre à son —, to accept responsibility for
ennuyer, to bore, annoy
corps (*m*), substance
désespérer, to despair
méthodique, methodical, systematic
fabriquer, to manufacture
synthèse (*f*), synthesis

1. **au**, *from the.* 2. **chargé d'en interdire la vente**, *entrusted with the task of preventing the sale of it.* 3. **dire = dirai-je.** 4. **à la**, *in his.*

— Mais les corps fabriqués par synthèse coûtent plus cher,[1] m'a-t-on dit, que les corps naturels. Alors, où est l'intérêt . . .?

— D'abord, un intérêt scientifique . . . Et puis, il n'en sera pas toujours ainsi. Déjà ce n'est plus vrai des colorants . . . Les
5 chimistes produisent les parfums à meilleur compte que ne[2] font les fleurs.

— Et les substances vivantes? Etes-vous matérialiste et pensez-vous que, comme le docteur Faust,[3] vous ferez naître de petits hommes en quelque cornue de votre laboratoire?

10 — Mon cher Dumoulin, dit-il, l'idée que tout savant doit être matérialiste paraît aujourd'hui assez naïve. A coup sûr, un physicien est bien obligé de croire que les phénomènes naturels obéissent à des lois, faute de quoi il n'y aurait point de science ni de savants. Mais il reconnaît que ces lois ne sont que des lois sta-
15 tistiques, semblables à celles qui permettent aux Compagnies d'assurances de savoir que sur[4] un million d'individus de sexe mâle, cent cinquante environ se suicideront, fait qui est exact, utile à connaître pour l'assureur, mais qui ne nous apprend rien sur chacun des individus . . .

20 — Donc, vous ne croyez pas, dis-je, que vous fabriquerez un jour, dans votre laboratoire, des cellules vivantes?

— Que savons-nous, dit-il, sur la vie et sur la cellule? Supposez qu'un observateur siriate étudie à l'ultra-télescope la ville de Londres et que celle-ci lui apparaisse aux dimensions qui sont pour
25 nous celles des cellules? Bon . . . Il constate qu'un jour sur sept (et

en être ainsi, to be the case, be so
colorant (*m*), coloring material, dye
compte: à meilleur —, cheaper
naître: faire —, to give birth to
cornue (*f*), retort
savant (*m*), scientist
coup: à — sûr, unquestionably
faute de, for want of
Compagnie (*f*): **— d'assurance**, insurance company
suicider: se —, to kill oneself, commit suicide
assureur (*m*), insurer, underwriter
cellule (*f*), cell
siriate, of Sirius
ultra-télescope (*m*), highly powerful telescope
Londres, London

1. **coûtent plus cher**, *are more expensive.* 2. pleonastic **ne**, omit. 3. **Faust**, a doctor who sold his soul to the devil in exchange for wealth and magical powers. 4. **sur**, *out of.*

pour lui ces jours terrestres sont des instants très brefs) le centre de la cellule semble plus clair et comme[1] vidé de substance . . . Pourquoi? Le Siriate n'en sait rien[2]. . . Or *nous* apercevons aisément la cause de ce phénomène: c'est que le samedi et le dimanche la cité se vide en effet . . . Mais comment notre Siriate devinerait-il 5 la longue histoire du dimanche anglais, celle de nos lois sociales, celle de nos vacances hebdomadaires? . . . Quelque génie que vous lui accordiez,[3] il demeure impuissant à résoudre le problème de la Cité. Or, nous sommes devant la cellule vivante exactement comme ce Siriate devant Londres. Il est probable que la présence, 10 dans la cellule initiale, d'où va sortir un être humain, de tel caractère héréditaire, sera un jour aussi visible pour le biologiste que la présence des policemen dans la Cinquième Avenue . . . Mais, dans l'état présent de nos appareils, ces problèmes ne sont pas plus à notre échelle[4] que les policemen à celle du Siriate. 15

— Pourtant, le mémoire même que vous m'avez demandé ce soir de traduire aborde des questions de cette nature. Vous admettez donc qu'il peut être intéressant, même dans l'état présent de nos connaissances, de les traiter?

— Je ne m'interdis pas, dit-il, lorsque j'aperçois des jungles 20 inexplorées, d'y faire, pour mon propre plaisir, un court voyage . . . Mais je suis un bien mauvais hôte; votre verre est vide . . . Encore un whisky?

— Ma foi, je veux bien . . . Bien que je ne sois pas, en France, grand buveur, ici le régime sec commence à me faire horreur. 25

terrestre, earthly
vidé, empty
Siriate (*m*), Sirian, inhabitant of Sirius or the Dog-Star, brightest of the stars
hebdomadaire, weekly
impuissant, powerless
caractère (*m*), characteristic
héréditaire, hereditary
aborder to touch upon
hôte (*m*), host
encore: — un, another
vouloir bien, to be (quite) willing
buveur (*m*), drinker
horreur (*f*): faire — à, to horrify, disgust

1. **comme,** *as if.* 2. **n'en sait rien,** *can't make head or tail of it.* 3. **Quelque génie que vous lui accordiez,** *No matter how much talent you may grant him.* 4. **à notre échelle,** *on our scale.*

Il me versa un whisky presque pur. Sur quoi nous en arrivâmes, je ne sais plus trop[1] par quelle association d'idées, à parler des effets possibles d'une guerre future, et en particulier d'une guerre aérienne, sur l'avenir de la civilisation. Puis, sans doute par l'effet 5 de cette forte liqueur à laquelle je n'étais pas habitué, je tombai dans une longue rêverie tandis que Hickey, assis en face de moi, feuilletait le mémoire que je venais de traduire et en étudiait les figures. Vers onze heures, je sortis de cette torpeur et regagnai mon domicile. Je n'avais pour cela[2] qu'à traverser une pelouse. La nuit 10 était froide, le ciel très pur, chargé d'étoiles. Pendant un court instant, j'eus[3] l'impression, toute naturelle mais fugitive, d'être à cent mille lieues de mon pays et de *sentir* la distance. Ces arbres, cette maison, cet automne, rien n'était de chez nous.[4] Suzanne ne dormait pas et je vis qu'elle avait les yeux humides.

15 — Ne me laisse plus jamais seule, dit-elle . . . A Caen, cela m'est égal, mais ici! . . .

— Tu as peur, dis-je . . .

— Oh! pas du tout . . . Mais j'éprouve une impression d'angoisse . . . Les enfants sont si loin.

20 — Tu as eu un câble ce matin . . .

— Je sais bien, mais un câble est si bref . . . Et d'ailleurs me dit-on la vérité? Maman ne voudra jamais m'inquiéter . . .

Jusqu'à trois heures du matin elle parla sans fin des enfants, de la rue de Fontenelle, de ma mère, de la sienne, de la fortune Cauvin-25 Lequeux, de ses sœurs. Les pensées de Suzanne tournaient dans un cercle étroit et elle aimait à en faire l'appel nominal[5] au moins

pur, straight, pure
quoi: sur —, whereupon
arriver: en — à, to reach the point of
aérien, -ne, aerial
habitué, accustomed
feuilleter, to thumb through, peruse rapidly
figure (*f*), diagram
torpeur (*f*), stupor, lethargy
regagner, to return to
chargé, filled, laden
fugiti-f, -ve, fleeting
lieue (*f*), league (about 2½ miles)
égal: cela m'est —, I don't mind

1. **je ne sais plus trop**, *I have no longer a clear recollection.* 2. **pour cela** = **pour faire cela.** 3. **j'eus**, *I got (felt).* 4. **rien n'était de chez nous**, *everything seemed very foreign to me.* 5. **à en faire l'appel nominal**, *to call each one to mind.*

une fois par jour. Quand sa mère, sa femme de chambre Jeanne, ou les femmes de mes collègues de Caen étaient à sa portée, c'était avec elles qu'elle procédait à cette revue de ses dieux familiaux; en leur absence, leur rôle m'était attribué et je ne m'en acquittais pas toujours avec patience. L'air à Westmouth est chargé d'électricité 5 et lorsque deux hommes s'y donnent une poignée de main, une étincelle, parfois, jaillit entre les paumes.

portée: **à sa —,** within her reach
revue (*f*), review
familial (*pl.* **-aux**), family
attribuer, to assign
acquitter: s' — de, to acquit oneself, fill, play
poignée (*f*): **— de main,** handshake
étincelle (*f*), spark
jaillir, to jump, fly (*of sparks*)
paume (*f*), palm

CHAPITRE IV

UN PENNY POUR VOS PENSÉES

Quelques jours plus tard, les Hickey[1] nous invitèrent à dîner et nous apprîmes, en arrivant, que nous serions ce soir-là seuls avec eux. Cela nous surprit un peu; car les autres grandes puissances de la faculté nous avaient reçus en de véritables banquets. La
5 partie carrée des Hickey[2] permit une conversation sérieuse qui m'intéressa beaucoup et ennuya, je crois, les deux femmes. Tout de suite après le dessert, Mrs Hickey, suivant la mode anglaise, emmena Suzanne et je restai seul avec Hickey qui vint s'asseoir à côté de moi et me versa un excellent porto,[3] vendu par le shériff.
10 Il m'offrit un cigare, en alluma un et fuma pendant quelque temps en silence.

— Dumoulin, dit-il soudain . . . Je m'excuse de vous poser une question personnelle. C'est de très mauvais goût . . . Mais nous ne sommes ici, ni l'un ni l'autre, dans notre pays . . . Les exilés sont
15 un peu rapprochés par l'exil et c'est peut-être ce qui m'autorise à vous demander . . . Comment tourner cela?[4] . . . Enfin voici . . .[5] Pourquoi vous abandonnez-vous aussi complaisamment à l'idée de la mort? . . . Vous n'êtes pas vieux, Dumoulin; vous avez une femme charmante . . . Votre carrière, me dit-on, fut rapide et
20 brillante . . . Comment ne tenez-vous pas plus vigoureusement à la vie?

Je le regardai avec un étonnement bien naturel.

— Et pourquoi diable me demandez-vous cela? dis-je . . . Qui vous a raconté que je ne tiens pas à la vie?

poser, to ask
exilé (*m*), exile, exiled man
abandonner: s' — à, to yield to
complaisamment, complacently
tenir (à), to cling to, care (for)

1. Proper names in French are never pluralized. 2. **La partie carrée des Hickey,** *The Hickeys' party, consisting of only two couples.* 3. **un excellent porto = un excellent verre de porto.** 4. **Comment tourner cela?** *How can I phrase it?* 5. **Enfin voici,** *All right, here it is.*

— Qui? dit-il. Mais qui voulez-vous[1] que ce soit, sinon vous-même?

— Moi? Je n'ai pas ouvert la bouche depuis que nous sommes[2] seuls, et avant le départ de ces dames, nous avions, me semble-t-il, parlé de vos travaux, des mœurs de Westmouth, et non point du goût que je puis avoir, ou ne pas avoir, pour la vie.

— Oh! ce n'est pas ce soir, dit-il; c'est la semaine dernière.

— La semaine dernière? Je n'ai pas alors, autant qu'il m'en souvienne,[3] abordé un tel sujet . . . La confidence n'est pas mon fort,[4] je vous assure, et nous nous connaissons à peine.

Je commençais à être irrité par sa bizarre insistance.

— Comment? reprit-il. Ne vous souvenez-vous pas de notre conversation? Je vous ai décrit ce que pourrait être désormais une guerre aérienne si les peuples de l'Europe n'avaient la sagesse de se tenir tranquilles. Après quoi vous êtes resté assez longtemps silencieux. Est-ce exact?

— Très exact.

— Bien . . . N'avez-vous pas alors pensé que, si un tel malheur arrivait, vous enverriez votre femme et vos enfants dans un endroit qui se nomme Lassoché . . .?

— Non, dis-je, La Saussaye. C'est le nom du village qu'habite ma mère, mais. . .

— Attendez . . . N'avez-vous pas ensuite pensé que, le troisième jour de la mobilisation, vous rejoindriez vous-même l'état-major du septième corps à . . .? Je n'ai pas compris le nom de la ville. Et là, vous êtes-vous dit, j'ai une bonne chance d'être tué dès les premiers raids d'avions, ce qui arrangera bien des choses . . . Je m'abstiens de vous rappeler quelles sont ces choses, car vraiment,

insistance (*f*), persistence
sagesse (*f*), wisdom
état-major (*m*), staff
avion (*m*): **raid** (*m*) **d' —**, air raid
arranger, to settle
abstenir: s' — de, to refrain from

1. **voulez-vous**, *do you expect.* 2. **sommes**, *have been.* 3. **autant qu'il m'en souvienne**, *as far as I can recall.* 4. **mon fort**, *my strongest characteristic.*

je ne veux pas pousser l'indiscrétion jusqu'à me mêler de votre vie privée mais je voudrais seulement que vous me disiez . . .

Je m'étais senti rougir malgré moi et m'étais levé.

— Hickey, dis-je, ceci est odieux . . . Faites-vous de la lecture 5 de pensée?

Je me souvenais maintenant fort bien d'avoir en effet imaginé de tels événements au moment où il avait parlé de la guerre aérienne, mais ces pensées avaient été fugitives, et tout de suite recouvertes par d'autres. Comment avait-il pu les connaître? 10 Hickey plaça sa forte main sur mon épaule et me força doucement à me rasseoir.

— Ne soyez pas fâché, dit-il; j'ai eu tort de violer vos secrets et je m'en excuse . . . Mais je fais en ce moment quelques expériences assez curieuses et il se trouve que vous m'avez, pour l'une d'elles, 15 servi de[1] sujet. Pardonnez-moi et soyez certain que vos pensées sont à tout jamais rayées de mon esprit . . . Sérieusement, mon cher,[2] que m'importe à moi, Hickey, que vos enfants aillent en cas de guerre à Honolulu ou à Cape Town? . . . Souvenez-vous de ce Balzac dont vous faites votre sujet favori d'études. Le savant, com- 20 me le romancier, prend ses matériaux où il les trouve . . . Il est comme l'artiste, plus encore que l'artiste, impersonnel . . . Quittez cet air irrité, je vous en prie; vous êtes vous-même un savant, à votre manière, et vous me comprenez, j'en suis sûr.

Le ton de Hickey était si cordial et sa bonne foi si évidente que 25 la curiosité, en moi, l'emporta sur l'irritation.

— Soit, je vous pardonne, lui dis-je, de m'avoir pris pour

jusqu'à, to the point of
mêler: se — de, to meddle with, interfere with
recouvert, concealed
rasseoir: se —, to sit down again
fâché, angry, offended
violer, to violate
trouver: se —, to happen
jamais: à tout —, forever and ever
rayé, stricken
quitter, to give up, lay aside
manière (*f*): **à votre —**, in your own way
emporter: l' — sur, to get the better of
soit, so be it, all right

1. **de**, *as.* 2. **mon cher**, *my friend, old chap.*

cobaye, mais j'ai, me semble-t-il, le droit de connaître la nature des expériences auxquelles vous m'avez, sans m'en avertir, associé? Ont-elles, avec vos travaux sur l'atome, un rapport quelconque?[1] Je vous avoue que je ne vois pas . . .

— Aucun rapport, dit-il, en riant . . . Non, ceci est fort loin de mon travail habituel et j'attache si peu d'importance à cette petite découverte que je ne publierai même pas mes observations, mais c'est un jeu qui me divertit . . . Vous avez pu constater que j'ai le goût des hypothèses. 5

— C'est votre métier. 10

— Oui, c'est très exactement mon métier . . . Or, parmi beaucoup d'hypothèses, j'en ai fait plusieurs sur la nature de la pensée . . . Vous êtes-vous jamais demandé, Dumoulin, ce qui se passe en vous quand vous pensez à des objets, à des êtres ou à des événements, *en l'absence de ceux-ci* . . .? Ne me faites pas une réponse de professeur qui cite des sources et des textes. Prenez un cas concret. Pensez à un événement de votre passé, n'importe lequel . . . 15

— Soit . . . Je pense à une bataille à laquelle j'ai assisté en 1915.

— Parfait . . . Comment y pensez-vous? . . . Voyez-vous des images et sont-elles nettes? 20

— Des images passent à l'arrière-plan . . . Elles ne sont pas nettes . . . Je vois vaguement l'abri dans lequel j'étais . . . la terre du parapet . . . et des obus qui éclatent sur une ferme en ruine à cent mètres en avant de nous.

— Pouvez-vous retrouver le visage de l'homme qui était alors votre chef? 25

— Le capitaine Crouzet? Oui, certainement.

— Le voyez-vous comme vous verriez un visage présent? Pourriez-vous le dessiner?

cobaye (*m*), guinea-pig
divertir, to amuse
arrière-plan (*m*), background
parapet (*m*), parapet, breastwork
obus (*m*), shell
avant: en —, ahead
dessiner, to draw

1. **un rapport quelconque**, *any connection whatever.*

— Non . . . Je ne sais pas dessiner . . . Et d'ailleurs les traits sont trop confus . . L'image fuit si je cherche à la fixer.[1]

— Où est exactement cette image? Devant vos yeux?

— Certes non . . . Pas devant mes yeux où je vois *votre* image, et
5 la nappe, et ce verre de porto . . . Non, l'image du capitaine serait plutôt située en arrière de mes yeux. C'est un peu comme si je la voyais, avec un œil intérieur, sous ma calotte crânienne[2] . . . Mais où voulez-vous en venir?[3]

— Encore un instant, je vous prie . . . Pensez maintenant à quel-
10 que idée plus abstraite . . . Par exemple, aux États-Unis et à la France . . .

— Après un moment de silence, je dis:

— C'est fait.

— Bon . . . Qu'avez-vous observé?

15 — En moi-même?

— Naturellement.

— J'ai pensé: pays neuf et pays ancien . . . En même temps, j'ai vu le canal de Caen à la mer et les arbres réguliers qui le bordent . . . J'ai vu l'Abbaye aux Hommes[4] et le lycée de Caen . . . Puis
20 une façade de gratte-ciel, toute pilonnée de fenêtres[5] . . . puis les écureuils de mon jardin de Westmouth . . . et, enfin, une carte verte et brune de l'atlas Vidal-Lablache qui représente la France, et dont le titre «carte hypsométrique»[6] me semblait, dans mon enfance, mystérieux et beau . . .

25 — Bien . . . je vois que des mots se mêlent aux images. Ces mots, ne sont-ils pas pour vous plus nets que les images?

trait (*m*), feature
nappe (*f*), table-cloth
arrière: en — de, behind
intérieur, inner
abstrait, abstract
réguli-er, -ère, regularly spaced
border, to border, line
mêler: se — à, to be mixed with

1. **à la fixer,** *to fasten my attention upon it.* 2. **sous ma calotte crânienne,** *under the crown of my head.* 3. **Mais où voulez-vous en venir?** *But what are you driving at?* 4. **Abbaye aux Hommes,** a familiar landmark in Caen, dating from the Middle Ages. 5. **toute pilonnée de fenêtres,** *with windows driven (pounded) in.* 6. **carte hypsométrique,** *hypsometric map, i.e.,* a map indicating the heights of points above sea-level.

— Attendez . . . Oui . . . Beaucoup plus . . . Des phrases intérieures ont été clairement prononcées par moi, tandis que les images, très confuses empiétaient les unes sur les autres . . . D'ailleurs j'ai toujours été beaucoup plus auditif que visuel.[1]

— Je le pensais bien . . . C'est une des raisons pour lesquelles 5
je vous ai choisi pour sujet . . .

— Mais pour sujet de quoi? Encore une fois, Hickey, où voulez-vous en venir? Que cherchez-vous?

Pendant un instant, il pianota sur la table comme s'il hésitait à parler. 10

— Je vais vous le dire, commença-t-il enfin, mais à une condition . . . C'est que vous ne parlerez de ces expériences à personne . . . . Elles n'ont pas un caractère assez rigoureux pour que j'ose les révéler à mes collègues scientifiques et ils seraient justement choqués d'en apprendre l'existence par vous qui êtes, dans cette 15
université, jusqu'à un certain point, un étranger ou, si vous préférez, un visiteur . . . Je compte donc sur votre discrétion . . .

— Cela va de soi . . .[2]

— Alors voici . . . Depuis longtemps je me suis dit que la pensée, puisque ses éléments premiers sont des phénomènes physiques, 20
images et sons, devrait pouvoir être captée par les méthodes ordinaires des physiciens . . . Notez bien que je ne soutiens pas du tout que la pensée soit *seulement* un phénomène physique; mais le rôle du savant est d'étudier les signes observables et les variations de phénomènes dont la nature essentielle lui échappera toujours . . . 25
Or, que chaque fonction du corps, y compris la pensée, s'accompagne de phénomènes physiques, il y a longtemps que les physiologistes l'ont remarqué. Le professeur Berger de l'Université d'Iéna[3] a étudié ce qu'il appelle les ondes cérébrales . . . Un

empiéter (sur), to encroach (on)
pianoter, to tap one's fingers, strum
rigoureu-x, -se, precise
capter, to pick up, tune in
compris: **y —**, including
onde (*f*), wave

1. **j'ai toujours été beaucoup plus auditif que visuel,** *my sense of hearing has always been keener than my sense of sight.* 2. **cela va de soi,** *that goes without saying.* 3. **Iéna** = Jena, a city in Germany, site of Napoleon's victory over the Prussians and famous for its university.

docteur Max, en plaçant les sujets dans des sortes de cercueils isolants, a pu capter et amplifier des émissions cérébrales ... Pendant deux ou trois ans, j'ai moi-même cherché dans cette direction et je me suis demandé si l'image cérébrale, celle dont vous
5 disiez tout à l'heure: « Je la vois sous la calotte crânienne », pourrait être captée par quelque appareil analogue au bélinographe.[1]

— En somme, vous vouliez filmer des rêveries? ...

— Exactement, mais je dois tout de suite vous dire que je n'ai
10 pas réussi ... A la vérité, je ne pouvais pas réussir, parce que, comme vous le décriviez vous-même, de telles images sont confuses, mobiles et empiètent les unes sur les autres.

— Vous auriez pu obtenir, dans vos films, l'image même de cette confusion.

15 — Sans doute ... En fait, et bien que ma femme ait accepté de se prêter à ces expériences avec beaucoup de patience et de bonne grâce, je n'ai jamais rien enregistré qui méritât une étude plus complète ... Au contraire le langage intérieur de l'homme qui réfléchit est un phénomène physique très défini ... Il se traduit
20 par des mouvements de la langue et du larynx, mouvements imperceptibles, mais suffisants pour donner naissance à des ondes sonores ...

— Vraiment? J'aurais cru, moi, que le sujet avait l'illusion de prononcer des mots, mais demeurait muet.

25 — Vous vous seriez trompé ... Il vous suffira d'ailleurs de vous observer vous-même un instant pour le reconnaître ... Pensez à une phrase quelconque ...

— C'est fait ...

— Quelle est cette phrase?

cercueil (*m*), box, case, cabinet
isolant, insulated
analogue, analogous, similar
somme: en —, in short
filmer, to photograph
traduire: se —, to be expressed
naissance: donner — à, to give birth to, form

1. **bélinographe**, a machine used for receiving telephotographs transmitted over the Belin system.

— Un vers de Racine[1] . . . *Le jour n'est pas plus pur* . . .

— Lorsque vous pensiez à ce vers, vous l'entendiez?

— Oui . . . Je l'entends encore . . .

— Où l'entendez-vous?

— Laissez-moi écouter . . . Je l'entends dans ma bouche et plus 5 précisément vers le haut du palais, à la base du nez.

— Pensez à une gamme . . . Ne remarquez-vous pas, si vous la chantez intérieurement, que vos organes prennent des positions différentes qui correspondent aux notes . . .?

— Donnez-moi un instant . . . Oui, c'est exact . . 10

— Pouvez-vous penser une note qui soit trop haute pour votre voix?

— Je ne le crois pas.

— Moi non plus . . . Pourquoi? Parce que les mots et les notes pensés se trouvent réellement formés dans le larynx du sujet 15 pensant . . . Et cela est si vrai que si vous tombez dans une méditation assez profonde, si par exemple, dans quelques minutes, vous oubliez mon existence, vous parlerez tout seul . . . Tantôt une phrase isolée échappe à un penseur préoccupé; tantôt, c'est tout un discours qu'un malade se fait à lui-même au cours d'une nuit 20 d'insomnie . . . En somme, tout homme parle sa pensée, le fou un peu plus fort que les autres . . . Un de vos compatriotes, un médecin de Bordeaux, a inventé un laryngographe[2] à l'aide duquel il enregistre les pensées des aliénés. Des tubes de caoutchouc réunissent le larynx du patient à un diaphragme et à un cylindre 25 enregistreur; rien n'est plus aisé que de lire ensuite les vibrations ainsi notées.

— C'est intéressant et curieux, mais dans mon cas, Hickey,

haut (*m*), top
palais (*m*), palate
gamme (*f*), scale
tantôt . . tantôt, now . . . now
insomnie (*f*): **nuit d' —**, sleepless night
aliéné (*m*), lunatic
caoutchouc (*m*), rubber
enregistreu-r, -se, recording

1. **Racine**, famous French lyric poet and dramatist of the 17th century.
2. **laryngographe**, an imaginary instrument.

vous n'aviez pas, que je sache,[1] appliqué l'autre soir, sur mon larynx, des tubes de caoutchouc?

— Non, dans votre cas, je ne pouvais me servir de cet appareil trop visible, et qui eût[2] déclenché votre méfiance . . . Il fallait le perfectionner . . . C'est ce que j'ai fait.

— Et comment?

— Je ne veux pas vous fatiguer de détails techniques . . . Sachez seulement que j'ai remplacé le contact direct par des microphones très sensibles et les tubes de caoutchouc par des fils de cuivre . . . Ceux-ci transportent les vibrations jusqu'à un disque qui les enregistre . . . Il me suffit ensuite de placer ce disque sur un gramophone ordinaire pour «entendre» la pensée.

— C'est miraculeux et diabolique . . . Et c'est ainsi que vous avez, l'autre jour, noté ma rêverie? . . . Pourrais-je l'entendre à mon tour?

— Certainement.

— Mais où était le microphone?

— Le fauteuil sur lequel vous étiez assis était entouré de microphones cachés dans des objets divers . . Il y en avait un dans le dossier, un dans la lampe, un dans la table . . . Mais je vous livre là tous mes secrets . . . Je compte sur votre silence.

— Vous venez, Hickey, de m'apprendre qu'il n'y a plus de silence.

Il se leva et, comme je l'imitais, me prit affectueusement par le bras.

— Le silence ordinaire me suffira, dit-il . . . Je suis seul, pour l'instant, à entendre les rêves.

En entrant avec lui dans le salon, je vis tout de suite, et non sans crainte, que Suzanne était assise dans le fauteuil dangereux.

déclencher, to unleash, arouse
perfectionner, to perfect
fil (*m*): **— de cuivre**, copper wire
disque (*m*), record
diabolique, diabolical, devilish
dossier (*m*), back (of a seat)

1. **que je sache**, *so far as I know.* 2. **eût = aurait.**

Elle parlait avec animation et à coup sûr ne rêvait point. Pourtant je la fis lever, à sa grande surprise, et lui dis:

— Tu serais mieux[1] sur le divan, chérie.

Hickey me regarda d'un air si amusé que je me demandai si le nouveau siège sur lequel j'avais fait asseoir la pauvre Suzanne 5 n'était pas lui aussi entouré d'oreilles mécaniques, parfaites et perfides.

coup: à — sûr, certainly

perfide, treacherous

1. **mieux,** *more comfortable.*

CHAPITRE V

. : . ET DONA FERENTES[1]

Je ne pus jamais obtenir de Hickey qu'il me dît[2] s'il avait, le soir du dîner que je viens d'évoquer, enregistré le «langage intérieur» de Suzanne. Nous étions pourtant devenus rapidement beaucoup plus intimes avec ce couple. Suzanne voyait assez
5 volontiers Gertrude Hickey, Anglaise conventionnelle, du type canin et jardinier, mais douce, agréable et qui possédait de beaux enfants avec lesquels ma femme aimait à jouer. Pour moi, je prenais un réel plaisir, quand il en avait le temps, à parler avec Hickey, esprit original et d'une imagination surprenante. Souvent,
10 le soir, je traversais la pelouse qui séparait nos deux maisons et, par[3] la fenêtre ouverte, jetais un coup d'œil indiscret sur le studio de nos voisins. S'ils étaient seuls et semblaient inoccupés, s'ils bavardaient et même parfois quand ils lisaient, je me permettais d'aller sonner à leur porte.

15 Cette amitié me fut alors d'autant plus précieuse que, pour la première fois dans l'histoire de notre ménage, je ne m'entendais pas, à Westmouth, parfaitement bien[4] avec Suzanne. De ce malentendu, il me semble, le jugeant aujourd'hui avec le recul de dix années,[5] que nous étions tous deux responsables. Ma femme, après les

canin, canine, dog-loving
jardini-er, -ère, gardening
original (*pl.* **-aux**), eccentric
coup (*m*): **— d'oeil**, glance
indiscr-et, -ète, indiscreet, inquisitive
studio (*m*), study
inoccupé, unoccupied
bavarder, to chat
malentendu (*m*), misunderstanding

1. **. . . et dona ferentes**, part of a line from Virgil's *Eneid* (Timeo Danaos et dona ferentes, *I fear the Greeks, even bearing gifts*). These words were said by Laocoon in order to persuade the Trojans not to permit the entrance of the wooden horse through their walls. 2. **Je ne pus jamais obtenir de Hickey qu'il me dît**, *I never succeeded in persuading Hickey to tell me.* 3. **par**, *through.* 4. **je ne m'entendais pas . . . parfaitement bien**, *I was not on very good terms.* 5. **avec le recul de**, *after the passing of.*

premiers jours d'amusement et de curiosité, avait pris Westmouth en grippe. Elle savait très peu l'anglais et se sentait isolée. Elle ne pouvait s'accoutumer à vivre loin de ses enfants, et surtout elle ne pouvait se passer de la France. Ce fut en l'observant que je compris combien le patriotisme est, même chez les êtres qui en sont peu 5 conscients et n'en parlent guère, un sentiment charnel et fort. En Amérique, Suzanne était malade, à la lettre, faute d'une nourriture indéfinissable que lui eût seule donnée une atmosphère française.

En vain Mrs Spencer, navrée de la voir si triste, l'entourait-elle d'une sollicitude affectueuse.[1] En vain les plus compréhensives 10 des dames de la faculté faisaient-elles effort pour s'intéresser à la rue de Fontenelle et aux végétations de Jean-Louis,[2] ma femme, dépaysée, devenait amère. Tout, en Amérique, lui semblait absurde. Mille détails, qui n'étaient que pittoresques, lui apparaissaient monstrueux. Elle trouvait plaisir à souligner les ridi- 15 cules[3] de Westmouth; elle se refusait à en admirer les vertus. Enfin elle était injuste, comme il arrive presque toujours, parce qu'elle était malheureuse.

Mes fautes n'étaient pas moindres. J'aurais dû représenter, dans notre ménage, pendant cette difficile période, l'élément d'équilibre 20 et de pondération. Or je manquais de patience. Loin de partager les préventions de Suzanne contre Westmouth, j'aimais ce décor et ce milieu. Non que je fusse moins qu'elle attaché à la vie française, mais il me semblait que ce plaisant intermède m'aidait, par

prendre en grippe, to take a violent dislike to
accoutumer: s' —, to get accustomed
passer: se — de, to do without
conscient, conscious
charnel, -le, carnal
nourriture (*f*), nourishment
indéfinissable, indescribable
navré, sorry, distressed
compréhensi-f, -ve, understanding
végétation (*f*), adenoids
dépaysé, away from home, expatriated
souligner, to underline, emphasize
équilibre (*m*), balance, equilibrium, poise
pondération (*f*), weight, steadiness
prévention (*f*), prejudice
décor (*m*), setting
milieu (*m*), environment, surroundings
intermède (*m*), interlude

1. **l'entourait-elle d'une sollicitude affectueuse**, *overwhelmed her with friendly attentions.* 2. **Jean-Louis**, apparently the son of the Dumoulins. 3. **les ridicules = les choses ridicules.**

contraste, à en mieux goûter la saveur. Mon anglais, qui avait jadis été correct, le redevenait assez vite, et la conversation de mes collègues, hommes cultivés, de disciplines très diverses, était pour moi un constant enrichissement spirituel. Surtout, il me faut bien 5 l'avouer, l'orgueil jouait un rôle dans le sentiment de bonheur que j'éprouvais à Westmouth: mes cours avaient grand succès et attiraient un nombre croissant d'étudiants dont j'aimais la curiosité et l'enthousiasme. Quelques jeunes femmes avaient réussi à s'y faire admettre; plusieurs d'entre elles étaient jolies; à 10 ma satisfaction de professeur écouté se mêlait une certaine coquetterie d'homme.[1]

Tout cela faisait que j'accueillais[2] avec mauvaise humeur les plaintes de Suzanne. Déjà le président Spencer m'offrait d'écrire au ministère pour demander la prolongation de mon congé et 15 souhaitait, disait-il, me garder à Westmouth pendant une année tout entière. Suzanne poussait des cris et devenait acariâtre. Quand elle exprimait devant mes amis américains son désir de rentrer à Caen au plus vite, je lui faisais des reproches[3] sur son manque de tact et de gentillesse; elle pleurait. Nous finissions par 20 nous réconcilier, comme fait toujours un couple jeune et fidèle, mais la sensualité ne remplace pas l'estime, ni l'affection et je voyais avec angoisse monter en moi un sentiment de lassitude et de détachement que je n'arrivais pas toujours à cacher. Plusieurs semaines se passèrent ainsi en réconciliations et querelles alternées.

25 Un soir, environ deux mois après notre arrivée, comme, vers six heures, en sortant de mon cours, j'étais entré chez Hickey et l'avais trouvé seul, il me dit soudain:

goûter, to enjoy
saveur (*f*), savor, flavor
discipline (*f*), training
enrichissement (*m*), enrichment
croissant, increasing
acariâtre, irritable, quarrelsome
vite: au plus —, as quickly as possible
détachement (*m*), indifference
arriver: — à, to succeed in
alterné, alternating

1. **à ma satisfaction de professeur écouté se mêlait une certaine coquetterie d'homme,** *to my satisfaction as a respected professor, there was mingled a kind of male vanity.* 2. **Tout cela faisait que j'accueillais,** *All that made me receive.* 3. **je lui faisais des reproches,** *I reproached her for.*

— Vous souvenez-vous, Dumoulin, de mon appareil à lire les pensées?

— Quelle question! dis-je. Si je ne vous en ai jamais reparlé, c'était que je craignais de vous importuner . . . Mais bien souvent je me suis demandé si vous l'aviez essayé sur quelque autre 5 visiteur.

— Oui, dit-il, et plusieurs fois. L'appareil, tel que je vous l'avais montré, avait un grand défaut . . . Il exigeait que la personne dont on souhaitait étudier le «flux de pensée» vînt s'asseoir chez l'expérimentateur dans un fauteuil préparé. Cela n'était 10 possible que dans des circonstances exceptionnelles. Seul un physicien, ou un médecin, pouvait avoir chez lui ce jeu compliqué de microphones, de fils conducteurs et de disques enregistreurs . . . Pour que l'invention devînt pratique, universellement utilisable, pour qu'elle entrât dans le jeu de la vie quotidienne, il fallait 15 qu'elle prît une forme plus simple . . . C'est cette forme que j'ai cherchée et trouvée. Je possède maintenant, grâce à mon ingénieux préparateur, le petit Darnley, un instrument, encore assez compliqué, mais mobile, et portatif.

— Je serais bien curieux de le voir. 20

— Vous le voyez en ce moment, dit-il.

Je regardai autour de moi.

— Je ne vois rien du tout!

— Vous ne voyez pas, sur la table à côté de laquelle vous êtes assis, un rouleau de papier assez épais? 25

— Oui certainement . . . C'est un numéro de *Fortune* ou d'*Esquire*.

— En apparence, oui . . . Déroulez-le!

importuner, to trouble, annoy
expérimentateur (*m*), experimenter
jeu (*m*), set, sport, play
conduc-teur, -trice, conducting
utilisable, usable
quotidien, -ne, daily
ingénieu-x, -se, ingenious, clever
préparateur (*m*), laboratory demonstration assistant
mobile, moveable
portati-f, -ve, easy to carry, portable
rouleau (*m*), roll
numéro (*m*), number, issue
dérouler, to unroll

Je pris l'objet; c'était une couverture de magazine, cartonnée,[1] à l'intérieur de laquelle se trouvait un objet très lourd, de forme étrange. L'ayant dépouillé de son enveloppe, je vis une sorte de pistolet, d'aspect archaïque,[2] dont la crosse était large et dont le 5 canon évasé occupait presque toute la longueur du cylindre de papier.

— Quel étrange instrument! C'est ce tromblon qui vous sert maintenant d'enregistreur?

— Oui, dit-il. La crosse de ce tromblon, comme vous dites, 10 contient un tambour que fait tourner un mouvement d'horlogerie et sur lequel s'enroule une très étroite pellicule . . . Le canon évasé, dont l'intérieur, comme vous pouvez le voir, n'est pas lisse, mais tapissé de miroirs aux courbes calculées,[3] dirige vers l'appareil les ondes sonores venant d'une direction déterminée. Grâce à une 15 cellule photoélectrique, les vibrations s'inscrivent sur la pellicule. Il n'y a plus ensuite, la pellicule étant développée, qu'à opérer la transformation inverse,[4] et, comme dans le cinéma parlant, à faire, de ces signes, des sons . . . En fait, tout cela n'est pas si simple et je cherche en ce moment un dispositif de tubes filtrants qui 20 puisse éliminer les sons parasites . . . Mais, en gros, voilà le principe. C'est amusant, n'est-ce pas?

cartonner, to bind (a book) in boards, case
dépouiller, to strip
pistolet (*m*), pistol
crosse (*f*), butt-end
canon (*m*), barrel
évasé, wide
longueur (*f*), length
tromblon (*m*), blunderbuss
tambour (*m*), barrel
horlogerie (*f*): **mouvement** (*m*) **d' —**, clockwork
enrouler: s' —, to roll up
pellicule (*f*), film
lisse, smooth
tapissé, covered
miroir (*m*), mirror
cinéma: — parlant, sound movie, "talkies"
signe (*m*), mark
dispositif (*m*), apparatus
filtrant, filtering
parasite, superfluous, unwanted
gros: en —, in outline form, roughly speaking

1. **c'était une couverture de magazine, cartonnée,** *it was a magazine cover lined with cardboard.* 2. **d'aspect archaïque,** *having an ancient look.* 3. **aux courbes calculées,** *having carefully determined curves.* 4. **Il n'y a plus ensuite . . . qu'à opérer la transformation inverse,** *One only has then to work the opposite way.*

Je tournais et retournais avec méfiance le lourd pistolet:

— Et comment, dis-je, n'êtes-vous pas gêné par les bruits extérieurs?

— Ce sont justement eux que je cherche à éliminer; mais avouez qu'à Westmouth ces bruits sont vraiment réduits au 5 minimum . . . Écoutez . . . On n'entend, à la lettre, pas un son.

— C'est vrai, dis-je après un silence. Et cet appareil indiscret a-t-il de nouveau ce soir enregistré mes rêveries?

— Non, non, rassurez-vous. Je n'avais pas touché au mouvement d'horlogerie . . . Regardez . . . Voici la clef. Si vous remontez 10 à fond,[1] l'appareil est armé pour six heures de prise . . .

Presque inconsciemment, je tournai la clef jusqu'au moment où je rencontrai la résistance du ressort tendu.

— Maintenant, dit Hickey, pour libérer le ressort et mettre le tambour en mouvement, il suffit d'appuyer sur le bouton blanc 15 qui est à droite de la crosse . . . Pour arrêter la prise de son, appuyez sur le bouton rouge . . . Remarquez aussi que, dans le cylindre de papier, des ouvertures correspondent à ces boutons et permettent de mettre en marche ou d'arrêter l'appareil sans le dévoiler . . . Quand la pellicule est épuisée, vous apercevez, par ce voyant, un 20 trait rouge . . . Vous voyez que c'est très simple.

— Et cela fonctionne?

— Mon cher, pour un appareil qui en est à ses débuts,[2] cela fonctionne assez bien . . . D'ailleurs, s'il vous plaît d'essayer,[3] je puis vous prêter celui-ci . . . Darnley m'en a monté trois. 25

— Et que voulez-vous que j'en fasse?

— Qui sait? . . . Il peut parfois être utile pour un mari de

armé, equipped
prise (*f*), sound-taking
inconsciemment, unconsciously
ressort (*m*), spring
tendu, stretched
bouton (*m*), button
mettre: — en marche, to start
dévoiler, to reveal
épuisé, used up
voyant (*m*), glass plate
trait (*m*), line
fonctionner, to work

1. **Si vous remontez à fond,** *if you wind it up completely.* 2. **qui en est à ses débuts,** *which is in its beginnings* (*newly invented*). 3. **s'il vous plaît d'essayer,** *if you care to try it out.*

connaître les pensées de sa femme, pour un père de connaître les pensées de ses enfants, pour un professeur celles de ses élèves?

— Utile? Ou dangereux? . . . De toute manière,[1] je n'ai pas le complément indispensable, l'appareil qui permettrait de lire la
5 pellicule enregistrée.

— Pour cela, dit-il, mon cher Dumoulin, je serai toujours à votre disposition . . . Sérieusement, prenez cet objet . . . mais ne le montrez pas. Si vous voulez un jour vous en servir, la meilleure distance de[2] prise est obtenue quand il y a environ un *yard* entre
10 l'entrée du canon et le gosier du sujet.

Il roula soigneusement le tromblon dans le cylindre cartonné et renoua le paquet pour lui rendre l'aspect inoffensif qu'il avait eu au début de la soirée. Pendant quelques instants, nous parlâmes des affaires de l'université, puis, au moment où je me levai,
15 Hickey, d'un mouvement naturel, me tendit l'appareil. Sans ajouter un mot sur ce sujet, je pris le lourd cylindre, le mis sous mon bras et partis.

manière: de toute —, in any case
disposition (*f*), service, disposal
entrée (*f*), opening, mouth
gosier (*m*), throat
soigneusement, carefully
renouer, to tie up again

1. de toute manière = en tout cas. 2. de, *for*.

CHAPITRE VI

SUZANNE

Pendant le temps, très court, qu'il me fallut pour traverser la pelouse qui séparait de la nôtre la maison de Hickey, je me demandai ce que j'allais dire à Suzanne. Fallait-il lui montrer l'étrange appareil que je rapportais, lui en révéler le mécanisme et l'essayer avec elle? Ou au contraire devais-je me taire, poser 5 négligemment ce perfide paquet en un lieu où il avait chance d'enregistrer une méditation et surprendre ainsi les pensées les plus secrètes de ma femme? J'avoue que cette «effraction d'esprit»[1] me tenta un instant; ensuite je me dis que l'acte ne serait pas honnête. Aurais-je ouvert une lettre de Suzanne si elle 10 ne m'était pas adressée? Certes, non. «C'est la même chose», pensai-je, tandis que je tournais le bouton de notre porte, et je décidai de tout raconter à ma femme.

Mais nos décisions sont aisément transformées par les circonstances, et il se trouva[2] que Suzanne, ce soir-là, m'accueillit 15 fort mal.

— Comme tu rentres tard, me dit-elle d'un ton irrité. J'étais inquiète.

— Il n'y avait vraiment aucun motif d'inquiétude, dis-je en posant le rouleau de carton près d'elle sur une petite table . . . En 20 sortant de mon cours, je suis entré chez Hickey et nous avons bavardé pendant une heure; tu vois que c'est fort innocent.

— Peut-être, dit-elle, mais tu admettras que je ne pouvais le

pelouse (*f*), lawn
mécanisme (*m*), mechanism
négligemment, carelessly
perfide, treacherous
surprendre, to find out
bouton (*m*), knob
motif (*m*), reason
rouleau (*m*), roll
carton (*m*), cardboard
bavarder, to chat (aimlessly)

1. **"effraction d'esprit,"** *breaking in on the privacy of the mind.* 2. **il se trouva,** *It happened.*

deviner . . . D'ailleurs, je ne vois pas quel plaisir tu trouves à parler avec cet Anglais; il est d'un insupportable ennui.

— Suzanne, comment peux-tu juger avec cette légèreté un grand savant dont tu ne comprends ni la langue, ni les idées? Je t'avoue que Hickey me paraît cent fois plus intéressant que ta sœur Marie-Claude quand elle explique pour la cent septième fois pourquoi ses enfants s'enrhument toujours ou que ton beau-frère Maxime lorsqu'il raconte «sa guerre».

— Tu pourrais, dit Suzanne, avoir la charité de ne pas me rappeler la rue de Fontenelle lorsqu'elle se trouve, hélas! à six mille kilomètres de moi; je n'ai déjà, dans ce pays, que trop de tendance à la neurasthénie . . .

— Neurasthénie est un mot commode, dis-je en haussant les épaules.

La négresse vint annoncer que le dîner était servi. Tout en suivant Suzanne, je me reprochai vivement mon impatience. Depuis quelques semaines, ces querelles entre nous devenaient de plus en plus fréquentes. Je rentrais, plein de pitié pour mon exilée, résolu à me montrer avec elle paternel, rassurant; je me faisais une image noble et plaisante de ce que serait désormais mon attitude. A peine étions-nous ensemble qu'une phrase maladroite déclenchait sa mauvaise humeur. Cinq minutes plus tard, une discussion acerbe et vaine était en plein développement. «Ce soir, pensai-je en entrant dans la salle à manger, je vais couper court et refuser de me fâcher . . .» Mais Suzanne, une fois lancée, ne pouvait plus être arrêtée si facilement; elle semblait une Pythie[1] qu'animait un feu intérieur. A peine fûmes-nous assis devant une

insupportable, unbearable
légèreté (*f*), levity
enrhumer: s' —, to catch cold
beau-frère (*m*), brother-in-law
tendance (**à**) (*f*), tendency (for)
neurasthénie (*f*), neurasthenia
négresse (*f*), negress, colored woman
exilée (*f*), exiled (woman)
plaisant, pleasant, (more commonly) funny
maladroit, ill-chosen, awkward
acerbe, bitter, sharp
fâcher: se —, to become angry, "get mad"

1. **Pythie,** priestess of the oracle of Apollo at Delphi.

tranche de melon glacé qu'elle reprit le thème exécrable de la rue de Fontenelle; une lettre reçue le matin annonçait que M. Cauvin-Lequeux avait été un peu souffrant.

— Comprends-tu maintenant, me dit-elle, pourquoi il est dangereux que Jérôme et Henriette puissent entourer, circonvenir papa, tandis que, par ta faute, je suis, moi, séparée de lui par un océan et incapable de défendre mes droits? Comprends-tu pourquoi j'ai toujours détesté l'idée de ce voyage? 5

— Chère Suzanne, dis-je, je ne veux pas rouvrir une discussion pénible. Mais d'abord, au temps de la visite du président Spencer à Caen, c'est avec ton consentement que j'ai accepté ce poste. Ensuite, je t'ai cent fois suppliée d'oublier, au moins pour quelques semaines, ces éternelles histoires de famille. Jérôme et Henriette convoitent les fermes de ton père? Que veux-tu?[1] C'est ainsi. Tu n'y peux rien,[2] moi non plus. Tes propos ne peuvent amener aucun effet utile. Alors pour l'amour du ciel, parlons d'autre chose ... Car c'est tout de même trop triste: nous sommes ici dans le pays le plus neuf du monde, dans un milieu prodigieusement intéressant, tout à fait inconnu de nous, et tu nous réduis chaque soir à remâcher les lois qui régissent la propriété foncière en Haute-Normandie![3] ... Eh bien! Non! Non! ... Il y a là quelque chose de mesquin, d'étriqué, dont à la longue[4] je souffre ... Je t'aime beaucoup, sincèrement, mais je demande à respirer ... Essaie d'avoir un peu plus de grandeur et de largeur d'esprit[5] ... Tu en es capable ... 10 15 20

— Je sais, dit-elle amèrement. Les hommes comme toi ap- 25

tranche (*f*), slice
glacé, iced
souffrant, ill
circonvenir, to circumvent
rouvrir, to reopen
consentement (*m*), consent
convoiter, to covet
milieu (*m*), environment, surroundings
remâcher, to "rehash"
régir, to govern
fonci-er, -ère, land
mesquin, mean, shabby
étriqué, "small," narrow

1. **Que veux-tu?** *What can you expect?* 2. **Tu n'y peux rien,** *You can do nothing about it.* 3. **Haute-Normandie,** *Upper Normandy,* a section of a province in Northwestern France. 4. **à la longue,** *in the long run.* 5. **grandeur et largeur d'esprit,** *breadth of mind.*

pellent grandeur et largeur d'esprit ce qui satisfait *leur* égoïsme . . . Naturellement, tu es, toi, très content d'être dans ce pays . . . D'abord parce qu'au fond tu n'as aucun cœur et que dès que tu es loin des enfants, de nos parents ou de nos amis, ils cessent à tes
5 yeux d'exister . . . Ensuite parce que tu y es adulé, parce que de petites idiotes, comme cette Muriel Wilson, te traitent en grand homme . . .

— Elle ne s'appelle pas Wilson, dis-je, mais Wilton, et si elle suit mon cours . . .

10 — C'est pour l'amour de Balzac, du *Curé de Tours* et du *Lys dans la vallée?*[1] Non, Denis, et tu le sais aussi bien que moi . . . D'ailleurs, il m'est complètement indifférent que tu courtises ces petites perruches américaines; seulement je ne veux pas que tu viennes ensuite me faire des sermons sur la grandeur . . . Et quant
15 à la propriété foncière, dont tu parles avec tant de mépris, tu seras bien content sur tes vieux jours[2] de trouver un abri rue de Fontenelle . . . si je puis jusque-là sauver la maison de la rapacité de Jérôme.

Je reconnus que la crise était sans remède; il n'y avait plus
20 qu'à[3] en attendre la fin. Mais je ne sais quel démon m'envahit alors; toujours est-il[4] que, lorsque nous sortîmes de la salle à manger, Suzanne s'étant assise dans son fauteuil coutumier, je m'approchai négligemment de l'appareil de Hickey, sous prétexte de poser mon café sur la table, et par la petite ouverture du rouleau,
25 je mis en marche le mouvement. Un instant, je crus avoir été observé. Suzanne, qui avait sur ses genoux un livre, dit, avec une négligence que je crus feinte mais qui était sincère:

— A qui appartiennent ces papiers?

fond: au —, after all, in reality
adulé, flattered, adulated
suivre: — un cours, to take a course
courtiser, to court, make love to
perruche (*f*), hen-parrot
sermon (*m*): **faire des sermons**, to preach
jusque-là, until then
envahir, to take possession of
coutumi-er, -ère, customary, usual
genoux: sur ses —, in her lap

1. *Le Curé de Tours* et *Le Lys dans la Vallée*, two novels of Balzac. 2. **sur tes vieux jours**, *in your old age.* 3. **Il n'y avait plus que . . .**, *There was no longer anything to do but . . .* 4. **toujours est-il**, *the fact is that.*

— Quels papiers? dis-je. Ah! ce rouleau . . . Ce sont des revues que me prête Hickey.

Elle n'insista pas. Je remarquai avec satisfaction que l'appareil était tourné vers elle et à distance convenable. M'asseyant moi-même en face de Suzanne, j'ouvris un volume de Balzac, 5 feignis de prendre des notes et observai ma femme. Elle lisait *Lucienne*,[1] livre que j'aimais et lui avais recommandé; mais sa pensée semblait errante. De temps à autre, elle posait le livre sur ses genoux et rêvait. Plusieurs fois, elle ouvrit la bouche pour me parler, mais, voyant mes yeux baissés et me trouvant inac- 10 cessible, reprit son livre avec un léger soupir. Vers dix heures elle se leva:

— Je suis fatiguée, dit-elle; je vais me coucher.

— Je finis un chapitre, répondis-je, et je te suis dans un instant.

Dès qu'elle fut sortie, je tirai le tromblon de sa gaine, arrêtai 15 le mouvement d'horlogerie et cachai l'appareil dans mon tiroir personnel que je fermai à clef. Cela fait, je rejoignis Suzanne, non sans un léger sentiment de culpabilité et d'inquiétude.

Le lendemain, j'attendis avec impatience l'heure où, le cours de Hickey et sa séance de laboratoire étant achevés, je pourrais me 20 rendre chez lui. Là j'eus la malechance de rencontrer Darnley, son préparateur. Comme j'hésitais à raconter devant lui que je rapportais une pellicule enregistrée et souhaitais en connaître le contenu, Hickey comprit très vite ce qui se passait et aborda lui-même le sujet qui m'embarrassait. 25

— Mon cher, me dit-il, vous pouvez parler devant Darnley, car non seulement il est mon collaborateur, mais vous allez avoir besoin de lui plus encore que de moi pour traduire en sons le

revue (*f*), review, magazine
convenable, proper
feindre, to feign, pretend
errant, wandering
chapitre (*m*), chapter
gaine (*f*), sheath
horlogerie (*f*), clockwork
tiroir (*m*), drawer
fermer: — **à clef**, to lock
culpabilité (*f*), guilt
malechance (*f*), bad luck
contenu (*m*), contents

1. *Luciene*, novel of Jules Romains, first volume of the *Psyché* series.

psychogramme que vous rapportez . . . Oui, j'adopte le mot «psychogramme» pour désigner ces enregistrements . . . Darnley va vous conduire au sous-sol où j'ai installé un appareil parlant . . . et faire fonctionner celui-ci pour vous . . . Ne craignez rien . . .
5 C'est au contraire par discrétion que je charge Darnley de vous enseigner cette manœuvre au lieu de la faire moi-même . . . Je présume que le texte apporté par vous est en français . . .

— Oui, naturellement . . .

— Eh bien! Darnley ne sait pas un mot de français, tandis que
10 je comprends, moi, au moins les phrases simples . . . Ce sera donc mieux ainsi . . . Alors, à tout à l'heure . . .[1] Vous viendrez me dire «au revoir» quand vous aurez terminé.

Je suivis dans les ténèbres le brave Darnley qui s'était chargé du pistolet. Il m'expliqua que le développement se faisait, en
15 même temps que la projection sonore, par le passage de la pellicule dans une série de cuves et de séchoirs. Ce jeune homme, un des sportifs de la faculté, était jovial, amical; mais je me sentais coupable et regrettais ce que j'étais en train de faire. Arrivé au laboratoire, je dus attendre assez longtemps tandis qu'il préparait
20 ses machines; je regardai ma montre; il était déjà plus de six heures. De nouveau, Suzanne allait me reprocher mon retard. Pauvre Suzanne! N'étais-je pas en train de la trahir?

— *Ready?* demanda soudain la voix de Darnley.

Je répondis que j'étais prêt. J'entendis ce cliquetis régulier
25 dont le cinématographe nous a donné l'habitude, puis, dans un chuchotement coupé de bruits sourds et réguliers, que je reconnus bientôt pour être ceux de la respiration, une voix ténue qui n'était

enregistrement (*m*), recording
sous-sol (*m*), basement
fonctionner: faire —, to operate, run
manoeuvre (*f*), operation
ténèbres (*f. pl.*), shadows, darkness
sonore, sound
cuve (*f*), bath, tub, trough
séchoir (*m*), drier
sportif (*m*), sport lover
nouveau: de —, again
cliquetis (*m*), clicking
cinématographe (*m*), motion picture machine
chuchotement (*m*), whispering
couper (de), to interrupt (by)
ténu, tenuous, thin

1. **à tout à l'heure,** *see you soon!*

pas exactement la voix de Suzanne, mais qui pourtant rappelait celle-ci. Ce qu'elle disait était assez obscur et il me fallut quelque temps[1] pour comprendre que des phrases, extraites du livre qu'elle lisait, s'étaient mêlées à ses rêveries personnelles.

Je ne voudrais pas citer, dans ce récit, de trop longs fragments de psychogrammes, car ceux-ci sont presque toujours lents, monotones, assez ennuyeux et d'ailleurs aujourd'hui familiers à tous ceux qui ont possédé des psychographes, c'est-à-dire à la plupart de mes lecteurs.

Je reproduirai cependant un fragment de celui qui fait le sujet de ce chapitre parce que ce fut le premier que j'entendis et parce que je souhaite donner quelque idée de ce que furent alors mon étonnement et ma perplexité. Je soulignerai, pour rendre le texte intelligible, celles des phrases qui étaient empruntées au livre alors placé sous les yeux de Suzanne.

«. . . *à cinq heures vingt, j'étais devant la gare.* Denis est vraiment trop égoïste; *à cinq heures vingt j'étais devant la gare,* c'était affreux ce réveil à cinq heures du matin sur le bateau, le bruit de pas sur le pont; c'était affreux, j'étais si fatiguée et l'eau du bain qui s'inclinait à droite, à gauche, et ce sentiment de nausée; quand nous serons rentrés en France, jamais plus je ne prendrai de bateau; encore deux mois, et peut-être six s'il accepte, je ne sais si je pourrai le supporter. Denis, lui, est content, parce qu'on l'applaudit: il aime à être applaudi; au fond, il est vaniteux et naïf; mais moi, ici, je n'ai rien et ces Américains ne savent pas parler aux femmes, ils sont si sérieux, si timides; en France les hommes sont hardis . . . *à cinq heures vingt j'étais devant la gare, je m'aperçus que j'avais oublié de demander à Marie Lemieux par où*[2] *il fallait passer, je savais seulement, de la maison, qu'elle était située*

extrait, taken out
monotone, monotonous
ennuyeu-x, -se, boring
lecteur (*m*), reader
souligner, to italicize
emprunter à, to borrow from
incliner: s' —, to tip
nausée (*f*), nausea

1. **il me fallut quelque temps**, *it took me some time.* 2. **par où**, *which way, in which direction.*

quelque part, dans les dépendances de la gare; maison, maison, maison, rue de Fontenelle, j'ai été bien imprudente de partir, si Henriette et Jérôme ont besoin d'argent, ils amèneront papa à prendre une hypothèque sur la rue de Fontenelle et l'argent dis-
5 paraîtra comme déjà celui de la ferme de Martot; cet horrible Jérôme, si je pouvais le brouiller avec papa, je le ferais; il faudra que j'en parle avec Adrien; *à cinq heures vingt j'étais devant la gare.* Adrien, théâtre, amour. Adrien est de bon conseil pour tout ce qui touche à Rouen et il est dans les affaires, lui; c'est inutile d'en
10 parler à Denis, il croit à l'honnêteté de Jérôme; il est honnête, ça,[1] oui. Denis, je l'estime, mais il ne comprend rien à rien,[2] il n'imagine pas les canailleries et il admire Henriette, parce qu'elle est belle, comme si c'était une raison: je hais Henriette, quand j'étais petite, j'aimais la griffer, parce qu'elle était plus jolie que
15 moi, maintenant, j'ai trois cheveux blancs, je vieillis, comme la vie est vite passée! *A cinq heures vingt j'étais devant la gare,* que c'est triste ici, quel silence, j'aimais à Rouen le bruit de la foire Saint-Romain, les orgues des chevaux de bois, les manèges de la place Beauvoisine, la ménagerie Bidel, c'était si gai! Adrien montait
20 avec moi dans ces voitures qui tournaient si vite, ça le jetait sur moi et me donnait un grand plaisir et les gens arrêtés devant les boutiques, le bruit des tourniquets de loterie, ces nougats, ces caramels, *je m'aperçus que j'avais oublié de demander à Marie Lemieux par où il fallait passer;* dans la foule, Adrien quelquefois prenait
25 ma taille,[3] j'aimais ça, au fond, si j'avais épousé Adrien, je serais peut-être plus heureuse. Denis est honnête, mais il ne comprend

part: quelque —, somewhere
dépendance (*f*), outbuilding, annex
hypothèque (*f*), mortgage
brouiller, to embroil, set at odds
conseil: de bon —, sensible
honnêteté (*f*), honesty, uprightness
canaillerie (*f*), rascality
griffer, to claw
vieillir, to grow old
foire (*f*), fair
orgue (*m*), organ
manège (*m*), merry-go-round
boutique (*f*), shop
tourniquet (*m*): **— de loterie**, lottery wheel

1. **ça, oui,** *that (much) is certain.* 2. **il ne comprend rien à rien,** *he understands nothing about anything.* 3. **Adrien quelquefois prenait ma taille,** *Adrien sometimes would put his arm around my waist.*

rien à rien et Adrien a bien réussi: il est courtier maritime, il gagne deux cent mille francs par an et Louise est bien mieux habillée que moi et elle n'a pas tous ces ennuis que j'ai dans la maison et puis, Adrien est câlin, tendre. Denis est brusque et maladroit. Adrien, théâtre, amour, divan bleu, ces meubles de la rue de Fontenelle, si je ne suis pas prudente, ils disparaîtront aussi. Denis, ça lui est bien égal, mais moi, je tiens à la commode Louis XIV et à la console qui est ancienne, *je savais seulement, de leur maison, qu'elle était située dans les dépendances de la gare . . .»*

Je m'arrête, parce qu'il serait ennuyeux et vain de citer le texte incohérent qui se déroula ainsi pendant plus d'une heure. Le flux de «langage intérieur» était coupé de silences assez brefs et de longs fragments du livre. Les thèmes essentiels de cette longue méditation étaient ceux que le passage cité a déjà permis au lecteur de noter: une grande crainte de voir M. Cauvin-Lequeux circonvenu par son gendre Jérôme, une sensualité secrète, insatisfaite et un amour de jeunesse pour un certain Adrien Lequeux qui était un des cousins de ma femme. Ce dernier trait me mit en fureur parce que je connaissais Adrien, homme d'une quarantaine d'années, coureur de femmes, médiocre et fat, courtier bedonnant et pontifiant, qui avait toujours évoqué pour moi Joseph Prud'homme[1] ou César Birotteau[2] plutôt que Don Juan[3] ou Rastignac.[4]

courtier (*m*): — **maritime**, shipbroker
câlin, fawning, very attentive
commode (*f*), chest of drawers
tenir: — **à**, to be fond of, set great store by
dérouler: **se** —, to unroll
flux (*m*), flow
gendre (*m*), son-in-law
trait (*m*), item
fureur (*f*), fury; **mettre en** —, to make "mad"
quarantaine (*f*), about forty
coureur: — **de femmes**, woman chaser
fat, foppish
bedonnant, potbellied
pontifiant, pontifical, pompous

1. **Joseph Prud'homme**, a character, typifying self-satisfied banality, created by Henri Monnier in a comedy *Grandeur et Décadence de Monsieur Prud'homme*. His most famous utterance was: **"Ce sabre est le plus beau jour de ma vie."** 2. **César Birotteau**, principal character of Balzac's novel *Histoire de la Grandeur et de la Décadence de César Birotteau*. He typifies the weak and gullible bourgeois. 3. **Don Juan**, legendary figure who typifies the cynical and conscienceless seducer. He has been immortalized in the plays of **Tirso de**

Sans doute, n'y avait-il rien dans cette longue méditation qui permît de penser que Susanne l'aimât, mais de nombreuses phrases prouvaient qu'il y avait eu entre eux un flirt d'adolescents auquel ma femme avait attaché grande importance, dont elle avait con-
5 servé un souvenir vif, et aussi, que, sur certaines affaires qui lui tenaient à cœur,[1] c'était à cet imbécile et non à moi qu'elle souhaitait demander conseil. Tout cela, au moment où je l'entendis, me parut assez grave. Fort heureusement, l'obscurité ne permit pas au jeune Darnley d'observer mon émotion.

10 — Satisfait? me dit-il, quand le cliquetis s'arrêta.

— Très satisfait, Darnley, répondis-je avec calme. Merci mille fois.

Mais je manœuvrai, en sortant de cette cave maudite, de manière à quitter la maison sans rencontrer Hickey.

flirt (*m*), flirtation
cave (*f*), cellar
maudit, cursed
manière: de — à, so as to, in such a way as to

Molina, Molière and **Zorrilla** and in the poem of **Lord Byron**. 4. **Rastignac**, clever, scheming, elegant dandy who figures in several of the novels of **Balzac**.

1. **qui lui tenaient à coeur**, *in which she took a special interest* or *which were close to her heart.*

CHAPITRE VII

ACTIONS ET RÉACTIONS

Bien que la nuit fût très noire et l'heure fort avancée au moment où je sortis de chez mes voisins, je n'eus pas le courage de rentrer chez moi tout de suite. Mes sentiments étaient trop violents, ma colère trop fraîche. J'avais besoin, avant de revoir Suzanne, de réfléchir à ce que je venais d'entendre. D'un pas rapide, je 5 tournai autour de notre «bloc» de maisons par les avenues jonchées de feuilles mortes et bientôt, la marche, l'air frais de la nuit, me calmèrent un peu. Mon premier mouvement avait été de faire à ma femme, dès mon retour, une scène méritée; le second fut, au contraire, un serment à moi-même de garder le silence. 10

«A quoi servirait, pensai-je, une confrontation[1] brutale de Suzanne avec ses pensées? Elle me reprocherait, non sans justice, ce cambriolage spirituel et je commencerais la discussion dans une position défavorable. En outre, je donnerais plus de force, en les exposant devant elle clairement, aux griefs qu'elle peut avoir 15 contre moi. La sagesse serait, au contraire, si j'en ai le courage, de profiter secrètement de cette leçon et de reconquérir ma femme qu'après tout j'aime et qui, si je n'y prends garde, s'éloignera complètement de moi. Pour cette manœuvre, je me servirai du

avancé, advanced, late
tourner: — autour de, to walk around
jonché (de), strewn (with)
mouvement (*m*), impulse
scène: faire une — à, to have a row with, to scold
serment (*m*), oath
confrontation (*f*), confrontment
cambriolage (*m*), burglary
spirituel, -le, of the mind
défavorable, unfavorable
grief (*m*), complaint
sagesse (*f*), wisdom
reconquérir, to win back
prendre: — garde à, to be careful of, to beware of
éloigner: s' — de, to be estranged from, forsake

1. **A quoi servirait une confrontation brutale de Suzanne avec ses pensées?** *What would be the use of confronting Suzanne cruelly with her thoughts?*

prodigieux instrument qui me permettra d'épier des pensées que Suzanne continuera de croire muettes et je pourrai . . .»

A ce moment, je reconnus soudain que j'avais oublié dans le laboratoire souterrain le psychographe donné par Hickey. C'était 5 ennuyeux, mais pas très grave; il serait facile d'aller dès le lendemain matin le réclamer. A Hickey lui-même, que dirais-je? Peu de choses. Il suffirait de le remercier et d'ajouter négligemment que l'appareil avait confirmé des faits qui m'étaient déjà connus. Ayant ainsi arrêté une ligne de conduite qui me parut 10 raisonnable, je revins vers Lincoln Avenue et rentrai chez moi.

Hélas! Il en est d'un ménage[1] dans lequel fermentent des éléments de discorde comme d'un peuple mécontent: en vain ceux qui gouvernent celui-ci espèrent-ils, par de sages réformes, lui faire traverser sans accident la zone dangereuse; il demeure, 15 malgré leur bonne volonté et leur prudence, à la merci du plus léger incident, et le coup de feu tiré par une sentinelle ivre déclenchera, contre le gré de tous, l'inévitable révolution. C'est là peut-être une comparaison bien grandiloquente pour amener la description d'une médiocre querelle de ménage; je voulais seulement 20 indiquer que nous ne sommes pas plus maîtres du tour que prend une conversation que de celui que prend une émeute et qu'entre deux êtres aux nerfs trop sensibles le plus léger incident verbal peut déclencher un conflit qu'aucun des deux ne souhaite.

Alors que j'arrivais plein de mansuétude, Suzanne me reçut 25 avec aigreur. Une fois de plus, elle me reprocha mon retard qui, je l'avoue, était ce soir-là d'un ordre de grandeur surprenant.[2] Elle haussa les épaules quand je dis que j'avais passé deux heures

épier, to spy upon
muet, -te, mute
souterrain, basement
ennuyeu-x, -se, annoying, vexing
arrêter, to decide upon
raisonnable, sensible
mécontent, discontented
coup: — de feu, shot
ivre, intoxicated
émeute (*f*), riot
nerf (*m*), nerve
sensible, sensitive
mansuétude (*f*), gentleness, meekness
aigreur (*f*), sourness, harshness

1. **Il en est d'un ménage . . . comme . . .** *The same holds true for a home . . . as.* 2. **d'un ordre de grandeur suprenant,** *of surprising magnitude.*

chez nos voisins et insinua que Muriel Wilton n'était pas étrangère à mon dérèglement. Là-dessus, je pris feu avec la violence de la bonne foi méconnue, et, au bout de cinq minutes, sans que je puisse[1] aujourd'hui me souvenir de ce qu'avait été la transition, je me trouvai en train de lui dire exactement tout ce que 5 j'avais voulu lui cacher.

— Avant de parler de Muriel Wilton, dis-je, il serait peut-être plus conforme à l'ordre chronologique de parler d'abord d'Adrien Lequeux.

— Adrien? dit-elle avec une indifférence admirablement jouée 10 . . . Adrien! Qui s'occupe d'Adrien?

— Toi! . . . Et tu t'en[2] occupes même fort tendrement.

— Es-tu fou? cria Suzanne, si fort que la négresse Rosita, croyant qu'on l'appelait, entr'ouvrit la porte . . . Es-tu fou? Je me moque bien d'Adrien[3]! Je ne lui ai même pas envoyé une carte 15 postale depuis que nous avons quitté la France.

— Tu ne lui as peut-être pas envoyé une carte postale, mais tu n'en as pas moins pensé,[4] hier soir, qu'Adrien te conseillerait beaucoup mieux que moi sur tes affaires . . . Tu t'es souvenue avec complaisance de promenades avec lui à la foire Saint-Romain . . . 20 et aussi de certains gestes qui, à l'égard d'une jeune fille, étaient au moins déplacés!

Ma femme, stupéfaite, me regarda pendant une seconde avec

insinuer, to insinuate
étranger: n'être pas — à, to be not unassociated with, be involved in
dérèglement (*m*), irregularity, irregular behaviour
là-dessus, thereupon
prendre: — feu, flare up
bonne foi (*f*), honesty, probity, uprightness
méconnu, misunderstood
conforme, conformable
chronologique, chronological
jouer, to feign
entr'ouvrir, to half open
complaisance (*f*), complacency, pleasure
égard: à l' — de, with regard to
déplacé, out of place, improper
stupéfait, stupefied, astounded

1. **sans que je puisse**, *without my being able.* 2. **Tu t'en occupes**, *You concern yourself with him*; **en** is seldom used to refer to persons. 3. **Je me moque bien d'Adrien**, *I don't give a hang for Adrien.* 4. **tu n'en as pas moins pensé**, *you have thought of him nevertheless.*

un mélange de haine et de terreur qui m'inspira à la fois de la honte et un surprenant sentiment de puissance.

— Moi? . . . Hier soir? . . . balbutia-t-elle.

— Oui, hier soir, pendant que tu lisais . . . ou feignais de lire . . . 5 Pourrais-tu jurer que tu ne pensais pas alors à tes promenades avec Adrien, à des manèges forains, à je ne sais quel[1] divan bleu? . . . N'allais-tu pas jusqu'à te dire qu'Adrien est tendre, câlin, tandis que je suis, moi, brutal et maladroit? . . . Ne nie pas, Suzanne; ton visage lui-même te trahit . . .

10 Elle semblait en effet atterrée, confondue. D'une voix effrayée, elle demanda:

— Mais, Denis, comment sais-tu cela? Ai-je rêvé tout haut?

Peut-être aurais-je dû confirmer cette invraisemblable explication, mais je n'étais plus en état de manœuvrer prudemment. Je 15 lui dis tout: ma surprise quand Hickey m'avait révélé mes propres méditations, le fauteuil perfide, le nouvel appareil, le pistolet enregistreur braqué sur elle, enfin la machine parlante du petit Darnley et le supplice pour moi de ce long et monotone chuchotement dans la cave qu'éclairait une lampe rouge. Elle m'écouta 20 en silence, d'abord avec incrédulité, puis avec passion, puis avec fureur, et ce dernier sentiment fut celui qu'elle exprima quand j'eus terminé mon récit.

— C'est honteux! dit-elle . . . Ignoble! . . .

— Mais, Suzanne . . .

25 — Ignoble! . . . Tu m'as fait l'autre soir un cours d'une heure sur ce qu'est un gentleman anglo-saxon . . . Est-ce que tu t'es, toi, hier soir, conduit comme un honnête homme? . . . Non seulement tu m'as volé mes pensées et la seule pauvre liberté qui me restait

mélange (*m*), mixture
balbutier, to stammer
feindre, to pretend
forain, of a fair; manège —, riding (the merry go-round) at the fair
atterré, astounded, amazed
haut: tout —, out loud, aloud
invraisemblable, unlikely, improbable
explication (*f*), explanation
prudemment, prudently
perfide, perfidious
braqué, pointed, aimed
supplice (*m*), torture, torment
faire: — un cours, to lecture

1. je ne sais quel, *I know not what.*

en ce pays de malheur,[1] celle de rêver, mais tu es allé communiquer mes secrets à deux étrangers qui sans doute en font des gorges chaudes![2]

— Suzanne, c'est absurde; Darnley ne sait pas le français et Hickey n'était pas là . . . 5

— Comment sais-tu qu'il n'était pas caché?

— Enfin, Suzanne, Hickey est un gentleman . . .

— Ah! non. Je t'en prie . . . N'emploie plus ce mot absurde! . . . Et où est cette pellicule? Tu l'as rapportée?

— La pellicule? . . . Ah! Bon Dieu![3] 10

Je venais de me rappeler que j'avais laissé la pellicule à côté du psychographe sur la table du laboratoire. Me trouvant dans mon tort,[4] j'attaquai:

— Suzanne, dis-je, tu es d'une inconscience qui passe l'imagination![5] Par une méthode qui n'est peut-être pas louable, mais 15 incroyablement précise et certainement véridique, j'ai découvert des faits que tu me cachais, que tu n'avais pas le droit de me cacher . . . Et c'est toi qui me fais une scène! . . . C'est un peu raide![6]

— Mais je n'ai rien à cacher, dit-elle. Qu'y a-t-il de condamnable à . . .? 20

— A penser aux caresses d'Adrien Lequeux? dis-je sèchement.

Elle éclata de rire.

— Vraiment les hommes sont trop bêtes! J'ai flirté avec Adrien quand j'avais quinze ou seize ans; il y a de cela quatorze ans;[7] j'ai deux enfants; lui trois: je ne pense jamais à lui et je ne vois vrai- 25 ment pas ce qu'il y eut là de criminel . . .

inconscience (*f*), unconsciousness; *fam.* ignorance or want of realization (of something)
louable, praiseworthy
incroyablement, unbelievably
véridique, truthful
condamnable, reprehensible
sèchement, dryly, bluntly
éclater: — de rire, to burst out laughing

1. **de malheur**, *accursed.* 2. **qui en font des gorges chaudes,** *who are having a good laugh at them.* 3. **Bon Dieu**, *Good God.* (Much stronger than the usual "Mon Dieu"). 4. **Me trouvant dans mon tort,** *Finding myself in the wrong.* 5. **tu es d'une inconscience qui passe l' imagination,** *you show an utter lack of comprehension of the situation.* 6. **C'est un peu raide,** *That's going a bit too far.* 7. **Il y a de cela quatorze ans,** *That was fourteen years ago.*

— Comment peux-tu dire que tu ne penses jamais à lui quand je te prouve . . .?

— Tu ne prouves rien du tout . . . Car malgré cette expérience invraisemblable, je te répète que je ne pense *jamais* à Adrien . . .
5 Il se trouve[1] qu'hier soir son nom a traversé mon esprit parce qu'en effet, sur une question de vente de terrain, il serait de bon conseil . . . Encore une fois, ce n'est pas un crime . . .

— Ce ne serait en effet pas un crime si tu n'avais pensé à lui que comme à un conseiller . . . mais au besoin de conseils techniques
10 se mêlaient des souvenirs d'une intimité bien singulière.

— Singulière? dit-elle . . . Pourquoi singulière? . . . Adrien était mon cousin . . . le seul jeune homme avec lequel ma mère me permettait de sortir seule . . . Il me faisait un peu la cour, comme tous les jeunes hommes à toutes les jeunes filles . . . Et après?[2] . . .
15 Étais-tu un saint, toi, Denis? Souviens-toi de ta propre adolescence. Oserais-tu jurer que tu n'as pas des souvenirs à peu près identiques associés à l'image de jeunes filles que tu n'as jamais revues et que tu n'as pas le moindre désir de revoir?

— Peut-être, mais . . .

20 Je restai court.[3] Suzanne venait d'obtenir un avantage tactique en m'obligeant à me mettre à mon tour sur la défensive. Le ton de notre conversation s'adoucit et, par cette curieuse réaction que l'on observe si souvent dans les ménages et qui ont conduit certains d'entre eux à considérer les «scènes» comme des orages
25 utiles pour éclairer l'atmosphère, la querelle se transforma bientôt en attendrissement.

— Ma chérie, dis-je, je suis tellement de ton avis et si loin de te

intimité (*f*), intimacy
cour: faire la —, to pay court
identique, identical
tactique, tactical
adoucir: s' —, to be tempered (softened), to become less bitter
attendrissement (*m*), tenderness, affection
avis: être de l' — de, to agree with

1. **Il se trouve,** *It happens.* 2. **Et après,** *So what?* 3. **Je restai court,** *I stopped speechless.*

faire grief de[1] rêveries involontaires . . . et rétrospectives . . . que j'étais, en entrant ici, résolu à ne jamais te parler de tout cela . . . Il s'est trouvé que tu m'as assez mal accueilli et que ta mauvaise humeur a excité la mienne . . . C'est fini . . . Je reconnais volontiers que l'incident n'est pas grave . . . Je sais qu'Adrien n'est plus 5 pour toi qu'un vieux cousin assez ridicule, avec lequel peut-être tu aimes à évoquer des souvenirs d'enfance . . .

— Même pas,[2] dit Suzanne.

— Je te crois, chérie . . . Le seul reproche que je te ferai, et très affectueusement . . . c'est peut-être d'avoir manqué de confiance 10 en moi . . . Cette longue méditation, que je ne prends plus au sérieux, m'a au moins révélé un fait: c'est que tu as de grands soucis, des inquiétudes de toute nature . . . Pourquoi ne m'en parles-tu pas? . . . Pourquoi ne fais-tu pas de moi ton confident? . . .

Elle avait maintenant les yeux pleins de larmes. 15

— Mais parce que tu es si distant, Denis . . . Quand on te parle de choses vraiment intéressantes, tu n'écoutes jamais, tu penses à ton cours, à tes élèves, à la politique . . . Je sens que je t'ennuie . . . Alors, je me tais et je remâche toute seule mes pauvres pensées de femme. 20

— Suzanne, dis-je, viens t'asseoir sur mes genoux comme autrefois, et dis-moi tout ce que tu peux avoir à me dire.

— Non, ce serait comique, dit elle. Une femme de trente ans! . . . Et puis, je suis trop lourde . . .

Nous eûmes ce soir-là, dans notre lit, la tête de Suzanne sur mon 25 épaule, une conversation intime et douce. Sentant fondre cette artificielle muraille qui nous avait séparés, je bénissais le psychographe. Je ne devais pas le bénir longtemps.

prendre au sérieux, to take seriously **bénir,** to bless
remâcher, to "mull over," ruminate

1. **si loin de te faire grief de,** *so far from complaining to you about.* 2. **Même pas,** *Not even that.*

CHAPITRE VIII

MURIEL WILTON

Au début de notre séjour, nous ne connaissions, à Westmouth, que le président et Mrs Spencer, le doyen Philipps et sa femme, les Macpherson, les Hickey et quelques autres gloires locales. A part Hickey, les dieux qui peuplaient cet Olympe[1] étaient des êtres
5 vénérables, de manières un peu surannées et d'une pruderie verbale qui nous confondait. Pendant quelques semaines, nous trouvâmes grand plaisir à observer ces vieux ménages tendres et naïfs qui évoquaient pour moi quelques-unes des figures les plus touchantes de Balzac ou de Dickens. Nous découvrîmes un peu plus tard
10 que, parmi quelques-uns des jeunes professeurs, régnait un esprit différent.

Là, le radicalisme, au sens particulier qui est celui de ce mot en Amérique ou en Angleterre, formait, en 1925, un corps de doctrine accepté. Là on lisait Hemingway, Faulkner, Dos Passos[2] plutôt
15 qu'Emerson, Hawthorne, ou Oliver Wendell Holmes; on passait les vacances non plus, comme les Spencer, à Vézelay[3] ou à Bath,[4] mais à Moscou[5] ou à Tiflis;[6] et, tandis que la génération plus ancienne observait sans défaillance la loi de prohibition qui était alors

séjour (*m*), sojourn, stay
gloires: les —, luminaries
part: à —, except for
peupler, to people
suranné, superannuated, out of date
pruderie (*f*), prudishness
défaillance (*f*), weakness, faltering; **sans** —, unfalteringly, unflinchingly

1. **Olympe,** Mount Olympus in Greece, traditional abode of the gods. 2. **Ernest Hemingway, William Faulkner, John Dos Passos,** contemporary American authors with leftist tendencies. 3. **Vézelay,** small town, southeast of Paris. 4. **Bath,** city in Somersetshire, England, famed for its therapeutic springs. The Romans built extensive bathing establishments there. 5. **Moscou,** *Moscow.* 6. **Tiflis,** capital of Georgia and of trans-Caucasia, a federation forming one of the seven constituent republics of the U.S.S.R.

en vigueur, et qu'à Lakeview, dans les repas les plus solennels, on ne servait que de l'eau glacée, le clan rebelle donnait en secret de nocturnes *cocktail-parties*.

Il est nécessaire d'ajouter, pour être exact, d'abord que ce groupe était fort peu nombreux, ensuite que, même parmi les 5 jeunes, le conformisme demeurait à Westmouth, ne fût-ce que pour des raisons de prudence et de carrière, l'attitude normale, et enfin les rebelles eux-mêmes souffraient cruellement de leur rébellion. Que de fois,[1] au cours de leurs inoffensives débauches, il me sembla entendre le bruit des maillons brisés[2] que traînaient encore leurs 10 chevilles et leurs cous meurtris! Ils étaient d'ailleurs conscients de leur puritanisme héréditaire, et le plus remarquable d'entre eux, un jeune philosophe, Clinton, m'en parla plusieurs fois très librement.

— Pourquoi nous violons la loi de prohibition? me disait-il . . . 15 Je vous assure que je souffre en le faisant . . . Mais vous ne pouvez pas comprendre, vous, Français réaliste, habitué à considérer les choses de la chair comme des faits et le péché comme un accident presque inévitable, non, vous ne pouvez concevoir ce que sont, sur ce sujet terrible, nos sentiments à nous, fils de pèlerins . . . Nous 20 feignons d'en parler en savants, en psychologues, avec un cynisme apparent, mais en nous quelque chose proteste, et ce conflit intérieur se traduit par des troubles physiologiques . . . Or l'alcool nous sauve . . . Oui, l'alcool nous affranchit pour quelques heures

nocturne, nocturnal, night
conformisme, obedience to convention
ne fût-ce, even if it were
maillon (*m*), link, bond
cheville (*f*), ankle
meurtri, bruised
héréditaire, hereditary
violer, to violate, break
habitué, accustomed
chair (*f*), flesh
péché (*m*), sin
pèlerin (*m*), pilgrim
psychologue (*m*), psychologist
cynisme (*m*) cynicism
conflit (*m*), conflict
trouble (*m*), disorder
affranchir, to set free, liberate

1. **Que de fois,** *How many times.* 2. **le bruit des maillons brisés** *etc*, this a figure of speech referring to the broken chains worn by convicts.

de la conscience puritaine . . . Cinq ou six cocktails réduisent au silence ces insupportables ancêtres quakers qui tiennent, dans nos cellules corticales, leurs pieuses assemblées . . . Cela est affreux à dire, mais c'est seulement en état de légère ivresse que je peux 5 aimer, vivre . . . ou au moins essayer de vivre . . . car le répit n'est jamais bien long . . . Bientôt le poison est éliminé; les pèlerins se réveillent; et le remords commence. Vous ne connaissez pas votre bonheur, Dumoulin.

Ce fut mon intimité avec ce Clinton qui nous amena, Suzanne et 10 moi, à nous joindre parfois aux réunions du petit clan qui à Westmouth se nommait, à l'imitation de certains roués anglais du XVIIIe siècle, le Hell Fire Club (Club du feu infernal). Sans doute eussions-nous mieux fait[1] de nous abstenir, car le président Spencer eût été fort choqué s'il avait appris nos imprudences, mais à la 15 vérité cet enfer était tiède et respectable. Nous allions[2] adroitement, Suzanne et moi, répandre les cocktails qui nous étaient servis, tantôt dans un vase de fleurs, tantôt par les fenêtres si elles étaient ouvertes, ou bien nous posions le verre sur une table et faisions semblant de l'oublier. Parfaitement sobres et maîtres de 20 nous-mêmes, nous pouvions jouir du spectacle, qui était curieux, et de la conversation qu'une légère ivresse, au début de telles séances, rendait presque toujours brillante.

Quelques-unes des jeunes femmes qui prenaient part à ces soirées me plaisaient beaucoup; elles avaient de ravissants visages, 25 des jambes parfaites que la mode de ce temps les amenait à montrer généreusement, et plusieurs d'entre elles possédaient en

réduire au silence, to silence, reduce to silence
cellule (*f*), cell
cortical (**pl.-aux**), cortical, pertaining to the cortex (outer layer) of the brain
ivresse (*f*), intoxication
pieu-x, -se, pious
répit (*m*), respite
roué (*m*), rake, profligate
abstenir: s' —, to abstain
choqué, shocked
enfer (*m*), hell
tiède, tepid, lukewarm
bien: ou —, or else
semblant: faire — de, to pretend

1. **Sans doute eussions-nous mieux fait**, *Undoubtedly we should have done better.* 2. **Nous allions . . . répandre**, *We would pour out* (*spill*).

outre une réelle culture d'esprit et un humour original que la langue américaine, si riche, si neuve, rendait pour moi irrésistible. Pourtant l'idée ne me serait pas venue de les courtiser; elles étaient les femmes de mes collègues; j'estimais que ma qualité de visiteur et d'hôte m'imposait une conduite irréprochable; enfin 5 je suis naturellement timide et, tout en étant fort libres de propos, ces charmantes personnes demeuraient aussi distantes qu'il convenait.

La seule exception était cette Muriel Wilton dont j'ai déjà parlé et dont Suzanne avait remarqué avec mauvaise humeur la présence 10 assidue à mes cours. Elle n'était pas, comme les autres, femme de professeur, mais épouse divorcée d'un industriel de Chicago. Venue, pour quelques mois, habiter chez sa mère, veuve d'un homme important de Westmouth, Mrs Wilton avait obtenu l'autorisation de suivre mon cours parce que son frère était l'un de nos 15 «alumni» les plus généreux et membre du conseil des Trustees. Je ne crois pas qu'il eût été possible de la voir sans l'admirer. Quand elle venait me faire, debout devant ma chaire, quelques questions[1] sur la leçon du jour, j'avoue que j'étais ému et flatté d'intéresser, fût-ce[2] indirectement, un être si beau. 20

Mais les rencontres avec Muriel Wilton dans «Higgins 65», sous les yeux vigilants de cinquante étudiants et de quelques collègues, étaient innocentes, et la situation ne devint pour moi dangereuse que le soir où je retrouvai ma belle écouteuse dans une *cocktail-party* donnée par Clinton. Celui-ci, en mon honneur, avait obtenu 25 de son «bootlegger» des vins de France qui, à ma grande surprise, s'étaient trouvés remarquables. M. Cauvin-Lequeux lui-même,

qualité (*f*), position
hôte (*m*), guest
assidu, assiduous
épouse (*f*), wife
veuve (*f*), widow
autorisation (*f*), permission
chaire (*f*), desk, rostrum
inoubliable, unforgettable
écouteuse (*f*), listener, auditor

1. **faire des questions** = **poser des questions.** 2. **fût-ce,** *even though.*

si difficile, eût apprécié un Haut-Brion[1] inoubliable et un Vosnes-Romanée[2] digne d'être chanté par mon pauvre collègue Albert Thibaudet.[3] L'ivresse du vin est plus fine et plus éloquente que celle du cocktail. Les puritains s'étaient déliés. Moi-même 5 qui, comme je l'ai dit, ne buvais pas volontiers,[4] je n'avais pu traiter des vins de chez nous comme je faisais sans scrupule des mélanges perfides d'alcools douteux, de sorte que, vers deux heures du matin, j'étais fort gai et assez peu maître de moi.

Comment se termina la soirée? Je serais incapable de le dire. 10 Je crois, mais me refuserais à le jurer, qu'avec Mrs Wilton, je trouvai refuge dans la bibliothèque de Clinton. Mon seul souvenir précis est celui d'un retour à pied avec Suzanne, de la sensation agréable que me donna l'air électrique et frais de la nuit, de la manière affectueuse dont je tenais en marchant le bras de ma 15 femme qui semblait irritée et s'arrachait à mon étreinte, et enfin de l'heure de notre retour, car il y avait dans notre petit hall une horloge à carillon qui sonna quatre heures au moment précis où nous montions l'escalier.

difficile, hard to please
délier: se —, to cast off one's inhibitions
douteu-x, -se, doubtful
refuser: se — à, to be unwilling to
bibliothèque (*f*), library
affectueu-x, -se, affectionate
étreinte (*f*), embrace, grasp
horloge (*f*), clock
carillon (*m*), chime; **horloge à —**, chiming clock

1. **Haut-Brion**, a Claret wine; Château Haut-Brion is three miles southwest of Bordeaux. 2. **Vosnes-Romanée**, a Burgundy; the Vosnes-Romanée vineyards are just outside of Vougeot. 3. **Albert Thibaudet**, famous 20th century French critic. 4. **ne buvais pas volontiers**, *didn't like to drink.*

CHAPITRE IX

SUZANNE CONTRE-ATTAQUE

Bien que je me fusse endormi tard, je me réveillai le lendemain de cette «débauche» à mon heure habituelle et ne me sentis pas fatigué. Bien au contraire, j'éprouvai cette curieuse allégresse intellectuelle du mâle qui croit avoir fait une conquête, et tout de suite je sus que mon cours, ce matin-là, serait plus brillant qu'à 5 l'ordinaire.[1] Je dus partir à dix heures, pour Higgins 65, sans avoir dit au revoir à Suzanne qui dormait encore; je laissai sur la table du bureau une note pour lui rappeler que ce mercredi, comme chaque semaine, je devais déjeuner au club avec mes collègues des langues romanes. 10

Ainsi que je l'avais espéré, je ne parlai pas trop mal ce jour-là. J'avais pris pour thème la politique de Balzac. Il fallait, pour y intéresser de jeunes Américains, brosser d'abord un large tableau de la France telle que l'avaient modelée les vieilles monarchies, la Révolution[2] et l'Empire,[3] puis, dans ce tableau, placer Balzac lui- 15 même et montrer la nature particulière de son royalisme comme de son catholicisme. Je me servis des *Chouans*, d' *Une Ténébreuse Affaire*, du *Curé de village*, du *Médecin de campagne*, des *Employés*.[4] M'étant efforcé de transposer ces problèmes français en termes que pussent comprendre et en émotions que pussent res- 20 sentir mes étudiants, j'eus cette joie, si vive pour un professeur, de ne voir pendant une heure que des visages ardents et attentifs. Je terminai dans le murmure heureux que produisent cinquante

allégresse (*f*), happiness, joy
brosser, to brush, paint, sketch
modeler, to model, shape
monarchie (*f*), monarchy
efforcer: s' — de, to strive to
ressentir, to feel

1. à l'ordinaire, *usual*. 2. La Révolution = La Révolution française, 1789. 3. l'Empire = premier Empire, 1804; second Empire 1852. 4. "*Les Chouans*" etc., all novels by Balzac.

voix chuchotant: «Comme c'était bien!» En de tels jours, je pense que mon métier est le plus beau de tous; en d'autres jours, je le maudis mais cela est rare.

Ce matin-là, mon seul regret fut de ne pas voir, à sa place 5 habituelle, Muriel Wilton. Comment eût-il pu en être autrement?[1] Elle se trouvait encore, à quatre heures, chez les Clinton et ne montrait alors aucun désir de partir. Sans doute s'était-elle couchée à l'aube et dormait-elle à l'heure du cours, comme Suzanne. Je pris part à une réunion de professeurs dans le bureau de 10 Macpherson, puis allai déjeuner avec mes collègues. On parla des affaires de l'université, de la retraite prochaine du président Spencer qui allait avoir soixante-dix ans, et du désir unanime qu'éprouvait la faculté de lui donner pour successeur le doyen Philipps, grand mathématicien, homme juste et très aimé. Après 15 le lunch, je fis une assez longue promenade à pied avec Clinton et je revins vers Lincoln Avenue, tout heureux d'annoncer le succès de ma leçon.

A ma grande surprise, je ne trouvai pas ma femme à la maison. Rosita, notre négresse, me dit que «Mrs Dumoulin» était sortie 20 depuis une heure. Or, il était rare, à Westmouth, que Suzanne sortît sans moi; si elle voulait faire des achats, l'imperfection de son anglais rendait ma présence nécessaire; si elle souhaitait rendre quelque visite, les usages locaux exigeaient que je l'accompagnasse. En tout cas, son absence n'avait rien d'inquiétant, cette 25 ville et ce milieu étant de ceux où rien n'arrive. J'avais à préparer une série de conférences que l'on m'avait demandé de faire à Chicago, le mois suivant, sur les moralistes[2] français et me mis au travail.

chuchoter, to whisper
maudire, to curse
aube (*f*), dawn
retraite (*f*), retirement
achat (*m*), purchase; **faire des — s,** to go shopping
conférence (*f*), lecture; **faire une —,** to give a lecture
mettre: se — à, to set about; **se — au travail,** to get down to work

1. **Comment eût-il pu en être autrement?** *How could it have been otherwise?*
2. **les moralistes,** not "moralizers" but writers who concern themselves mainly with contemporary "mores."

Suzanne revint à cinq heures et dès les premières phrases que nous échangeâmes, je vis qu'elle était de détestable humeur. J'attribuai ce phénomène à nos excès de la veille et lui dis gaiement:

— Vois-tu, chérie, nous sommes de vieux bourgeois français, casaniers, couche-tôt et chargés de famille; nous ne sommes pas faits pour nous mêler à cette jeunesse étrangère . . . Tout en souffre, notre caractère et notre travail . . . Pourtant, ce matin, je dois dire que ma politique de Balzac n'a pas trop mal marché . . .[1] Les étudiants semblaient très contents . . .

— Et Muriel Wilton? Était-*elle* contente de toi? dit Suzanne avec ironie.

— Muriel Wilton n'était pas là, Suzanne. Je suppose qu'elle aussi avait mal supporté cette nuit sans sommeil. Au fond ce type de plaisirs est malsain pour tout le monde. L'homme n'est pas un animal nocturne. Plus je vis et plus je suis persuadé que se lever tôt et se coucher tôt sont deux des secrets du bonheur.

— Est-ce que tu me prends pour ton auditoire de Chicago? dit Suzanne avec une étrange amertume. Je t'assure que tu es dispensé d'énoncer[2] des platitudes et de commenter les moralistes dans cette maison.

Il m'était arrivé, je l'ai dit, d'avoir avec ma femme d'inoffensives querelles, mais rarement elle m'avait parlé sur ce ton hostile et méprisant. Je la regardai avec stupeur.

— C'est vrai, dit-elle en ôtant son chapeau. Je trouve vraiment trop ridicule que tu sois chargé d'un cours de morale, où tu te donneras des airs de sage et où tu parleras, comme tu le fais si bien,

casanier, "stay-at-home," home-loving
couche-tôt, accustomed to going to bed early
caractère (*m*), disposition
marcher, to go
malsain, unhealthy
auditoire (*m*), audience
amertume (*f*), bitterness
énoncer, to express
méprisant, scornful
chargé: être — de, to be entrusted with

1. **ma politique de Balzac n'a pas trop mal marché,** *my lecture on Balzac's politics didn't go off badly at all.* 2. **tu es dispensé d'énoncer,** *you need not express.*

de la modération dans les passions, alors que tu ne penseras, en fait, qu'à Mrs Muriel Wilton et aux moyens de la rencontrer à Chicago.

— Moi? dis-je. Es-tu folle?

5 Mais à ce moment une idée redoutable et trop vraisemblable traversa mon esprit.

— Suzanne! . . . Tu n'as pas emprunté cette stupide machine à Hickey?

— Pourquoi pas? dit-elle. Tu l'avais bien fait . . . J'ai été[1] la 10 réclamer, puisque tu l'avais oubliée. J'ai demandé au professeur Hickey de m'en montrer le fonctionnement, de me donner une nouvelle pellicule . . .

— Et il l'a fait? Eh bien! En voilà un[2] à qui je dirai ce que je pense de lui!

15 Suzanne eut[3] un petit rire strident et dur:

— Les hommes sont vraiment admirables, dit-elle. Tant qu'il s'agissait de surprendre *mes* secrets, d'épier *mes* pensées, de violer *mon* intimité, c'était l'acte le plus naturel, l'expérience la plus curieuse. Et vous vous conduisiez, Hickey et toi, en «parfaits 20 gentlemen» . . . Mais qu'une femme pénètre dans la pensée sacrée —et d'ailleurs bestiale—d'un homme, c'est le crime le plus abominable. Ne vois-tu pas à quel point tu es comique?. A quel point vous êtes tous comiques? . . .

Ma position devenait si évidemment impossible à défendre que 25 moi-même je m'en rendis compte et que j'essayai d'être calme:

— Suzanne, dis-je, il est vain de crier . . . Commence par me dire clairement ce qui s'est passé, ce que tu as entendu, ce que tu me reproches; je te répondrai de mon mieux.[4]

— Je ne te demande aucune réponse, dit-elle. J'ai eu ta 30 réponse, et beaucoup plus sincère. Ce qui s'est passé? C'est très

vraisemblable, likely, probable
fonctionnement (*m*), operation
tant que, as long as
bestial (*pl.* -aux), brutish

1. **J 'ai été,** *I went.* "Etre" is frequently used as a synonym for "aller" in the past indefinite. 2. **En voilà un,** *There's a fellow.* 3. **eut,** *let out.* 4. **de mon mieux,** *as best I can.*

simple. Comme je te l'ai dit, j'ai, hier après-midi, rendu visite à Mr Hickey et je lui ai demandé de ta part[1] . . . comment appelles-tu ça? . . . ce psychographe. Je l'ai rapporté ici. Naturellement je ne me suis pas servi du rouleau de magazines que tu aurais sans doute reconnu. Mais je sais combien tu es distrait et combien tu prêtes peu d'attention[2] aux objets qui ne sont pas des livres. J'ai donc tout simplement enveloppé cet appareil dans un de mes jupons et l'ai placé sur la table près de ton lit. En revenant de cette maudite soirée, je suis montée très vite pendant que tu accrochais, dans le vestibule, ton pardessus et ton chapeau, et j'ai appuyé sur le bouton de mise en marche. Sur quoi,[3] tu m'as suivie, tu t'es couché, tu t'es étendu et tu as pensé.

— Et à quoi ai-je pensé? Je te jure que je ne m'en souviens pas.

— Je te jure, moi, que je m'en souviendrai toute ma vie. Tu as pensé à cette femme. Tu t'es dit: «Évidemment je lui plais.» Cet orgueil! Ce n'est pas toi qui lui plais; c'est ton petit succès d'orateur. Tu as murmuré: «Ce baiser! . . .» Et sur un ton! . . . Puis tu as fait des plans pour ton voyage à Chicago; tu as projeté de lui demander d'y aller en même temps que toi, et même de me renvoyer en France: «Au fond, t'es-tu dit, Suzanne s'acclimate très mal ici. Il serait beaucoup plus sain pour elle de rentrer à Rouen. Je la rejoindrais dans trois mois». Car tu es hypocrite et moral jusque dans les moments où tu es seul avec toi-même. Le plus comique, ou le plus tragique, comme tu voudras, c'est que tout cela était mêlé à la préparation de ton cours de Chicago et à des réflexions hautement vertueuses sur Vauvenargues[4] et sur Pascal[5] . . . Ah! Que c'est ridicule, la pensée d'un homme! . . .

distrait, absent-minded
jupon (*m*), petticoat
pardessus (*m*), overcoat
appuyer, to press
mise en marche (*f*), setting in motion, starting; **bouton de —**, starter
baiser (*m*), kiss
acclimater: s' —, to become acclimated
sain, wholesome

1. **de la part**, *on your behalf*, or *for you*. 2. **Combien tu prêtes peu d'attention**, *How little attention you pay*. 3. **sur quoi**, *whereupon*. 4. **Vauvenargues**, 18th century French "moraliste." 5. **Blaise Pascal**, famous French philosopher, mathematician and physicist of the 17th century.

J'étais atterré, et d'autant plus embarrassé que[1] je me rappelais maintenant la méditation qu'évoquait Suzanne. J'étais rentré dans un état de grande fatigue et j'avais eu l'impression de m'être endormi tout de suite. Mais il n'en avait pas été ainsi et, dans un 5 brouillard confus d'images, je retrouvais le souvenir d'une rêverie où peut-être avaient passé de vagues désirs et un plan chimérique de voyage où j'aurais rencontré Muriel. A aucun moment, je n'avais pris ce songe au sérieux. Comme le rêve est parfois la réalisation imaginaire d'un désir inconscient, cette hallucination 10 avait donné pour moi, aux émotions de la nuit, une conclusion flatteuse et irréelle. Il n'en fût rien resté[2] et même pas la volonté de réaliser ces fantaisies, si la damnée pellicule n'avait enregistré mes divagations.

— Mais, Suzanne, dis-je, qui t'a «lu» ce rouleau?

15 — Ton ami Hickey lui-même m'a accompagnée dans son laboratoire et a fait marcher pour moi le haut-parleur.

— Et il a écouté?

— Chaque mot. J'en rougissais, mais c'était ta faute et non la mienne.

20 — Suzanne! Ceci passe les bornes . . . Que peut penser de moi maintenant cet Anglais?

— Tu es tout entier dans cette phrase![3] Tu te demandes ce que peut penser cet Anglais avant de te demander ce que je peux penser, moi. Mais je vais te le dire tout de même. Je pense que 25 tu ne m'aimes plus, que tu désires te débarrasser de moi et qu'il vaut mieux dans ces conditions que nous cessions de vivre en-

brouillard (*m*), fog
chimérique, fanciful
songe (*m*), dream
sérieux: au —, seriously
inconscient, unconscious
flatteu-r, -se, flattering
irréel, -le, unreal
damné, damned, accursed
divagation (*f*), vagary, rambling, incoherence
haut-parleur (*m*), loud speaker
borne (*f*), limit, bound
débarrasser: se — de, to get rid of
valoir mieux, to be better

1. **d'autant plus embarrassé que**, *all the more disconcerted because.* 2. **Il n'en fût rien resté**, *Nothing of all that would have remained (in my mind).* 3. **Tu es tout entier dans cette phrase!** *How typical that sentence is of you!*

semble. Tu souhaitais me voir retourner en France? C'est ce que je vais faire. Seulement, ce sera pour y préparer notre séparation.

— Suzanne, dis-je avec une émotion sincère et qui la toucha, ne dis pas de choses folles et que tu regretteras. Tu sais très bien que je t'aime et tu sais très bien que *tu* m'aimes. Ce que tu as surpris chez moi, comme ce que j'avais surpris chez toi l'autre jour, ce sont des pensées fugitives, sans vigueur, sans réalité. Je pourrais demain quitter avec toi ce pays et ne jamais revoir Muriel Wilton que cela me serait complètement indifférent.

— Je suppose que ce n'est pas ce que tu lui dis lorsque tu l'embrasses, dit ma femme.

— Mais je ne l'embrasse pas, Suzanne! Pas plus que tu ne souhaites devenir la maîtresse d'Adrien Lequeux . . . Nous rêvons, et peut-être rêvons-nous d'autant plus que nous sommes, dans la vie, sages et fidèles . . .

— C'est vrai? dit-elle avec une passion ardente que je n'avais pas observée chez elle depuis le temps de nos fiançailles . . . C'est vrai? . . . Tu es fidèle? . . . Tu ne m'as pas trompée depuis notre mariage?

— Jamais, Suzanne . . . Comment l'aurais-je fait? . . . Tu me vois, à Caen . . .

— Et tu n'as jamais . . . désiré Henriette?

— Ta sœur Henriette? Pourquoi? . . . Est-ce que je parlais d'elle dans cette . . . confession?

— Non, pas du tout . . . Mais j'ai quelquefois eu peur.

— Quelle folie, Suzanne . . . J'admire la beauté d'Henriette . . . mais ainsi que j'admire une œuvre d'art . . . Si tu savais comme je t'aime uniquement, même quand je te déteste . . .

Elle ne répondit pas. J'allai vers elle, m'assis à ses pieds et posai ma tête sur ses genoux: elle me laissa faire.[1]

fugiti-f, -ve, fleeting
vigueur (*f*), vigor, force
fiançailles (*f. pl.*), engagement
uniquement, only, solely

1. Elle me laissa faire, *She let me do it.*

CHAPITRE X

REPROCHES A L'INVENTEUR

Je tiens à indiquer tout de suite que le psychographe n'amena pas, et bien au contraire, la ruine de notre ménage. La scène que je viens de décrire avait été suivie, comme la précédente, d'une réconciliation affectueuse. Nous éprouvions tous deux un réel soulagement à savoir enfin que nulle pensée secrète ne nous séparait plus. Entre des êtres qui vivent l'un près de l'autre, subsistent, dans presque toutes les familles, des choses non dites, souvent graves, dont la muette présence empoisonne la vie. Le psychographe, entre nous, les avait balayées. Dans l'émoi du premier moment, nous nous étions juré l'un à l'autre de ne plus nous servir du maudit appareil; un peu plus tard, nous jugeâmes cette mesure excessive et il fut admis que nous emploierions encore, de temps à autre, cet instrument, mais toujours en prévenant honnêtement celui dont les pensées seraient enregistrées.

Nous découvrîmes ainsi qu'il est possible, par un effort de volonté, de contrôler le flux des pensées, et que cette faculté peut être cultivée avec succès. Au début, même prévenu, je me laissais, au bout d'un quart d'heure, entraîner à des rêveries non contrôlées; peu à peu, je pus réduire à de courtes absences ces dangereuses divagations. J'inventai même une sorte de « rosaire psychographique » que je disais rapidement si je voyais mes pensées prendre malgré moi des chemins dangereux. Cette expérience éclaira pour moi d'une lumière toute nouvelle certains rites prescrits par l'Église catholique et m'inspira, pour leur profonde sagesse, un respect que je n'avais pas toujours eu. A tout prendre,[1] si l'on considère un ensemble d'années, et si l'on néglige quelques accidents, je puis

soulagement (*m*), relief
empoisonner, to poison
balayer, to sweep away
émoi (*m*), emotion
rosaire (*m*), rosary
prescrire, to prescribe

1. **à tout prendre**, *on the whole.*

dire que l'influence du psychographe sur notre couple fut excellente.

Mais il ne faut pas que cet aspect personnel du problème vienne interrompre[1] un récit que je souhaite faire aussi clair, aussi ordonné et aussi exact que j'en suis capable. Je reviens donc au lendemain de l'incident Muriel Wilton. On imagine aisément que ma pre- 5 mière visite fut pour Hickey. J'étais, non sans raison me semble-t-il, irrité contre lui. Sans doute, et comme l'avait remarqué Suzanne, il n'avait pas été beaucoup plus coupable en donnant à ma femme les moyens de lire mes pensées qu'en me permettant à moi-même d'écouter les rêveries de ma femme. Mais la seconde 10 expérience m'avait fait comprendre, beaucoup mieux que la première, les dangers du nouvel appareil. Je pensais que Hickey aurait dû respecter une certaine solidarité masculine et que nos premières conversations avaient créé entre nous comme une convention tacite à laquelle il avait manqué.[2] Bref, je jugeais qu'il 15 s'était mal conduit envers moi et je le lui dis tout net.[3] A la vérité, il demeura, sous mes reproches, tranquille et même souriant.

— Je suis désolé, me dit-il, si je vous ai causé quelque ennui . . . Mais avouez que tout cela n'a pas grande importance . . .

— Je n'avoue rien de tel,[4] Hickey, et je trouve que vous prenez 20 bien légèrement une responsabilité qui aurait pu être grave. Si nous n'avions été, ma femme et moi, un ménage très uni et par des liens fort multiples . . . vous auriez pu nous conduire à un divorce . . . Eh bien! mon cher Hickey, j'estime que vous n'aviez pas le droit de courir un tel risque . . . Votre invention est ingénieuse, vos 25 hypothèses hardies . . . Vous êtes un grand savant . . . Vous avez du génie . . . Là-dessus tout le monde est d'accord . . . Mais je n'ai jamais pensé que les droits du génie fussent sans bornes . . . Il vous eût été facile de faire des expériences moins cruelles . . . C'est là

convention (*f*), agreement
désolé, sorry
accord: être d' —, to agree

1. **il ne faut pas que cet aspect personnel du problème vienne interrompre,** *this personal aspect of the problem must not interrupt.* 2. **à laquelle il avait manqué,** *which he had failed to live up to.* 3. **tout net,** *very plainly.* 4. **rien de tel,** *nothing of the sort.*

un problème de morale et bien entendu vous le résolvez à votre manière; pour moi, je pense qu'un savant ne doit jouer ni avec la vie, ni avec les sentiments de ses semblables, fût-ce au profit de la science . . .[1] Enfin, mon cher, si vous étiez médecin . . .

5 — Si j'étais médecin? dit gaiement Hickey. J'essaierais sans scrupules, sur les pauvres bougres des hôpitaux, des traitements dont les résultats seraient douteux et, en certains cas, mortels . . . Si j'étais romancier, je me servirais des caractères et des aventures de mes amis sans me préoccuper des effets que mes livres pour-

10 raient avoir sur eux, pourvu que ces livres fussent beaux . . . Est-ce que votre Balzac avait scrupule à se servir, pour créer ses héroïnes, des confidences de ses maîtresses? . . . Allons, Dumoulin, ne vous fâchez pas . . . Après tout, qu'est-il arrivé? Êtes-vous brouillé avec madame Dumoulin? . . .

15 — Brouillé? . . . Bien loin de là! Ma femme a été choquée par . . . certains propos . . . ou par certaines pensées que vous m'aviez attribuées . . .

— «Attribuées» est assez drôle, dit-il.

— Mais elle a trop de bon sens pour ne pas reconnaître qu'il

20 s'agissait là d'un rêve éveillé . . .[2]

— Alors? dit-il . . . De quoi vous plaignez-vous?

— Pardon, dis-je, supposez que notre ménage eût été moins solide . . . ma femme moins raisonnable . . . ou mes confessions d'une nature plus précise, l'expérience aurait pu fort mal tourner.

25 — Certes, dit-il. Seulement s'il en avait été ainsi, je ne l'aurais point faite . . . C'est justement parce que j'ai tout de suite compris que votre femme et vous formiez un ménage solide que je me suis permis de vous choisir pour sujets . . . Il y a un certain type

entendu: bien —, of course
bougre (*m*), poor fellow
hôpital (*m*), hospital
traitement (*m*), treatment
mortel, -le, mortal, fatal
romancier (*m*), novelist
préoccuper: se — de, to worry about
brouillé: être — avec, to have quarreled with, fall out with
tourner: — mal, to take a bad turn

1. **fût-ce au profit de la science,** *even if it were for the benefit of science.*
2. **rêve éveillé,** *dream while awake.*

d'intimité conjugale qui ne trompe pas l'observateur et que je sais très répandu en France . . . Dans votre cas, j'étais donc certain que l'expérience ne pouvait présenter de dangers graves . . . J'ajoute que j'ai tenu à être moi-même présent lorsque madame Dumoulin a écouté cette pellicule et que j'avais la main sur le levier de 5 l'appareil, prêt à le déclencher et à inventer une panne si le texte devenait, pour vous, trop compromettant . . . Fort heureusement, ce que nous avons entendu, votre femme et moi, fut relativement innocent . . .

Cette phrase m'apporta, comme bien l'on pense, un assez vif 10 soulagement, car Suzanne avait refusé de me dire avec précision ce qu'avait été ma rêverie.

— Vraiment, Hickey, dis-je. Et qu'avez-vous entendu, exactement?

— Mon cher, dit-il, si vous voulez l'entendre vous-même, la pel- 15 licule est encore au laboratoire, et vous pourrez ensuite la détruire . . .

C'est une bien étrange impression que de s'écouter penser. Elle s'est émoussée depuis que le psychographe est devenu un appareil banal et que tous nos contemporains ont entendu, au moins une 20 fois dans leur vie, leur propre discours intérieur. Mais ce jour-là, je me sentis fort mal à mon aise[1] tant que dura ce murmure amplifié qui avait été ma pensée. Pourtant je reconnus avec soulagement que ce monologue était, en fait, beaucoup plus «inoffensif» que n'avaient été certaines de mes pensées relatives à 25 Muriel Wilton. Sans doute, une partie seulement de notre méditation est-elle verbale; une autre partie, faite d'images, accompagne le discours et beaucoup de ces images ne sont pas décrites par des sons articulés. De celles-là, et fort heureusement

observateur (*m*), observer
répandu, frequent, common
tenir à, to insist on
levier (*m*), lever
déclencher, to disengage
panne (*f*), break-down
compromettre, to compromise
émousser: s' —, to become dull
contemporain (*m*), contemporary
articuler, to articulate

1. **Je me sentis fort mal à mon aise**, *I felt very ill at ease.*

pour moi, l'appareil de Hickey ne conservait aucune trace; je me gardai de le lui dire, car il eût été capable de s'attaquer au problème, plus complexe, de la photographie des images cérébrales et de le résoudre, ce qui ne me paraissait souhaitable ni pour moi, ni
5 pour l'humanité. Quand la machine se tut, je n'ajoutai aucun commentaire et le priai seulement de détruire cette pellicule, ce qu'il fit aussitôt devant moi.

— Et maintenant, lui dis-je, tandis que nous sortions du laboratoire, bien que je ne vous garde aucune rancune, j'estime que ma
10 femme et moi-même avons joué dans vos recherches un rôle suffisant et que, dans l'intérêt même de vos expériences, il vous faudra changer de sujets.

— C'est bien mon avis, dit-il en m'offrant une cigarette, et si vous me promettez d'être discret, je vous confierai que je m'occupe
15 maintenant d'un cas très curieux et qui, si je réussis, prouvera, beaucoup mieux que le vôtre, l'utilité pratique du psychographe.

— Vraiment? Et quel est ce cas? . . .

Il hésita un instant.

— Je ne suis pas tout à fait certain que je devrais vous le dire,
20 car il s'agit là d'un secret qui est lié à la vie et à l'avenir de cette université . . . Mais vous êtes l'un de nous, membre comme moi de cette faculté; j'ai besoin sur cette affaire d'un conseil et votre double qualité[1] de professeur et d'étranger fait que, peut-être, pourriez-vous me le donner avec plus de compétence et d'impartialité
25 que tout autre . . . Je vous demanderai seulement une discrétion absolue.

— Je vous la promets.

— Même vis-à-vis de votre femme? . . .

garder: se — de, to be careful not to
attaquer: s' — à, to attack
souhaitable, desirable
rancune (*f*), rancor, grudge; **garder —**, to bear a grudge
pratique, practical
vis-à-vis, in respect to

1. **votre double qualité de professeur et d'étranger fait que, peut-être, pourriez-vous . . .** *in your double capacity of professor and foreigner you would be perhaps in a position to be able . . .*

— Si vous ne l'armez à nouveau[1] des moyens de surprendre mes pensées . . .

— Alors, me dit-il, je vais vous exposer toute cette affaire. Mais c'est assez long et il faut vous installer confortablement . . .

Il m'offrit un fauteuil que je regardai avec un peu de méfiance, 5 plaça près de moi une boîte de cigarettes, la bouteille de whisky et un verre, puis il commença.

1. **à nouveau,** *again* (more commonly "**de nouveau**").

CHAPITRE XI

SUCCESSION PRÉSIDENTIELLE

— Afin d'être tout à fait clair, dit-il, je vais vous décrire la situation comme si elle était pour vous entièrement nouvelle. Je serai amené ainsi à vous rappeler des faits que vous connaissez déjà et je m'en excuse, mais au moins les données du problème 5 seront-elles placées toutes en même temps sous vos yeux. Vous savez que notre président, le docteur Spencer, a l'intention de prendre sa retraite à la fin de l'année universitaire. C'est là une décision irrévocable et qu'expliquent des raisons d'âge, de santé, trop légitimes pour qu'on puisse les discuter. Le président et 10 Mrs Spencer voudraient jouir encore de quelques années tranquilles passées en Europe parmi des œuvres d'art qu'ils aiment l'un et l'autre. Rien n'est plus naturel et notre faculté doit s'incliner.

Cette décision ayant été annoncée *urbi et orbi*,[1] depuis trois mois, par le président, la question de la succession se trouve posée 15 et elle est, pour cette université, fort grave. Vous ne vivez pas en Amérique depuis très longtemps, Dumoulin; vous en avez pourtant assez vu pour comprendre les dangers qui menacent, en ce pays, l'enseignement supérieur. En gros, on peut dire que deux tendances s'affrontent; la première, la plus saine, est celle des hommes 20 vraiment cultivés qui ont formé, à l'image des universités européennes, des centres de culture comme Harvard, Yale, Princeton, Williams College, John Hopkins, Cornell, Dartmouth, Columbia, et vingt autres; la seconde est celle des charlatans qui, à la faveur de

données (*f. pl.*), data
retraite: prendre sa —, to retire
incliner: s' —, to yield
gros: en —, broadly
affronter: s' —, to face each other, be in conflict
image: à l' — de, in the likeness of, patterned after

1. **Urbi et orbi,** (literally) Latin for *to the city and to the world*, i.e. *far and wide.*

riches protections,[1] font passer pour enseignement supérieur une indigne parodie de toute culture.

Jusqu'à quel degré de ridicule ce mal peut aller, vous n'en avez, je crois, mon cher Dumoulin, aucune idée. Mais lisez là-dessus, si vous en avez le temps, l'excellent livre de Flexner.[2] Certains 5 établissements en arrivent à offrir au choix libre des étudiants qui se préparent à des examens comparables à votre baccalauréat[3] et à votre licence,[4] des cours aussi absurdes que: «Les principes de la publicité», «L'art de fabriquer des glaces à la crème (cours élémentaire et supérieur)», «La poterie élémentaire», «Les 10 premiers secours aux blessés» ... Vous en trouverez la liste complète dans Flexner ... Elle est à la fois comique et terrifiante ... Notez bien que je ne verrais aucun inconvénient à ce que de tels sujets, qui tous ont leur intérêt, fussent enseignés dans des écoles techniques et qui se donneraient pour telles, mais que 15 l'on puisse créer une confusion de diplômes et donner à une jeunesse trop confiante l'illusion qu'elle acquiert une culture générale alors qu'il n'en est rien,[5] voilà ce qui me paraît dangereux.

Ici, à Westmouth, vous avez pu constater qu'à part de très rares exceptions, l'enseignement est de haute qualité. Pour moi, 20 j'estime en toute sincérité que mes étudiants de science valent autant et mieux que la plupart des étudiants anglais, et vous m'avez dit vous-même combien vous avaient plaisamment surpris l'ardeur de vos élèves américains et leur connaissance du français.

indigne, unworthy
ridicule (*m*), ridiculousness
établissement (*m*), institution
arriver: en — à, to be led to, decide
fabriquer, to make, manufacture
glace: — à la crème, ice cream
poterie (*f*), pottery, ceramics
secours: premier —, first aid
donner: se — pour, to call oneself
confiant, trusting
plaisamment, pleasantly

1. **à la faveur de riches protections,** *with the aid of rich patrons.* 2. Abraham Flexner, a distinguished American educator. The work referred to here is *Universities: American, English, German,* 1930. 3. **le baccalauréat,** French degree, obtained by examination after completion of studies at a "lycée" or "collège." Corresponds roughly to our A.B. 4. **la licence,** French University degree, corresponding roughly to our A.M. 5. **alors qu'il n'en est rien . . .,** *while nothing of the sort is true . . .*

Ce résultat est dû aux vingt-cinq années d'efforts et à la fermeté douce, mais invincible, du président Spencer. Souvent, au cours de son règne, de riches *alumni* ont essayé de lui imposer des dons auxquels étaient attachées des conditions inacceptables. Toujours, il a refusé, et s'il a dû, devant la volonté formelle des *trustees*, accueillir enfin l'École commerciale du vieux Scripps, il en a fait une institution séparée, et d'ailleurs excellente, dont les diplômes ne sont pas ceux de l'université.

Vous a-t-on raconté l'histoire bouffonne de Kettlefish? . . . Non? . . . Alors puisque nous avons aujourd'hui le temps de bavarder, je vais vous en dire un mot, car ce cas est symbolique. Kettlefish, aventurier ingénieux et besogneux, captura un jour près des chutes du Niagara, un oiseau d'espèce inconnue et découvrit (dit-il) que cet oiseau parlait, non pas comme les perroquets qui se bornent à répéter des sons humains, mais en un langage original et propre à son espèce. Au moment où il fut pris, l'oiseau de Kettlefish proférait, à en croire son maître,[1] dix-sept sons différents. Kettlefish en dressa un dictionnaire et annonça à des reporters enchantés qu'il était prêt à enseigner le langage des oiseaux.

Jusque-là, l'aventure n'était qu'aristophanesque,[2] mais il advint qu'un milliardaire, Caïus Mitchell, qui se trouve être l'un des bienfaiteurs de Westmouth, lut cet article et convoqua Kettlefish. On ne comprend pas clairement pourquoi ce distillateur octogénaire fut séduit par l'extravagant naturaliste; c'est un fait que, le lendemain, Mitchell écrivit au Dr Spencer et offrit cent mille

fermeté (*f*), firmness
règne (*m*), reign
formel, -le, express, explicit, positive
bouffon, -ne, funny, droll
besogneu-x, -se, needy, hard up
perroquet (*m*), parrot
proférer, to utter
advenir, to happen
milliardaire (*m*), billionaire
bienfaiteur (*m*), benefactor
convoquer, to summon
distillateur (*m*), distiller
octogénaire, octogenarian
séduire, to charm, fascinate

1. **à en croire son maître,** *if we are to believe his master.* 2. **aristophanesque,** *reminiscent of Aristophanes,* Greek writer of comedies of the 5th century B.C.

dollars pour la création d'une chaire d'ornitho-phonétique[1] dont Kettlefish serait le premier titulaire. Ce que je vous raconte a l'air d'une opérette de Gilbert et Sullivan; je vous jure que c'est une histoire vraie . . . Le président opposa, comme bien vous pensez, un veto absolu, mais croiriez-vous qu'il eut à lutter contre 5 l'indignation des *trustees* qui jugeaient maladroit de mécontenter un homme aussi puissant? . . . Le vieux Spencer tint bon et nous sauva de ce ridicule . . . Mais Mitchell trouva aisément une institution moins scrupuleuse, de sorte que le «professeur» Kettlefish règne aujourd'hui, je ne sais où, sur un laboratoire d'ornitho- 10 phonétique. L'autre jour, j'ai lu, en première page d'un journal fort sérieux, ce titre d'article: «Oiseau de Kettlefish invente un dix-neuvième son».

— C'est incroyable! interrompis-je.

—C'est pourtant un fait, dit Hickey, et je ne vous donne cet 15 exemple que pour vous montrer pourquoi, dans ces universités qui ne sont soumises à aucun contrôle d'état, le choix du président est une question de vie ou de mort . . . Or, il se trouve que nous avons le bonheur de posséder ici le type même du grand éducateur américain, et vous savez comme moi que c'est le doyen Philipps. 20 Mathématicien de grande valeur, philosophe que loua jadis votre Henri Poincaré,[2] administrateur ferme et pourtant adoré des étudiants comme des professeurs, Philipps est vraiment le seul homme qui soit capable de succéder à Spencer sans faire courir à Westmouth de graves dangers. 25

— Là-dessus, dis-je, je crois que l'accord est fait . . . Depuis que je suis à Westmouth, j'ai toujours entendu cette candidature annoncée et approuvée par tous.

titulaire (*m*), incumbent
maladroit, awkward, tactless
mécontenter, to displease
tenir bon, to stand one's ground
incroyable, unbelievable
louer, to praise
administrateur (*m*), administrator
candidature (*f*), candidacy

1. **ornitho-phonétique,** *phonetics of bird language* (a manufactured word).
2. **Henri Poincaré,** (1854–1912) a very famous French mathematician of the early 20th century, member of the French Academy. He was a cousin of Raymond Poincaré, president of the French Republic during the first World War.

— Par tous, dit Hickey, sauf par un seul . . . Car, de même que nous possédons ici le candidat idéal, nous y avons aussi, hélas, le candidat indésirable. Et c'est là que notre entretien devient secret . . . Connaissez-vous, Dumoulin, le professeur Windbag?
5 — Très vaguement . . . Je l'ai vu le jour où nous lui rendîmes sa visite . . . Il m'a paru brillant, onctueux et médiocre . . .

— Toutes vos épithètes sont justes . . . Windbag est, en fait, un médiocre qui enseigne ici la pédagogie. Il fait des cours sur l'art de «mesurer» les aptitudes d'un étudiant ou la valeur profes-
10 sionnelle d'un maître! Il y revêt d'une forme savante une ombre de pensée. C'est lui qui a inventé, pour déterminer l'équation personnelle d'un élève, la formule:

$$X = \frac{(T^2 - T^2N)(1 - S^2)}{A + \frac{1}{P^1} + \frac{1}{P^2}}$$

T étant le nombre d'heures de cours hebdomadaires, N le nombre d'élèves du groupe, S j'ai oublié quoi, A l'âge des parents de l'élève, P^1 le temps d'éducation du père et P^2 le temps d'éducation
15 de la mère.

— Hickey, c'est une plaisanterie! . . .

— Plût au ciel,[1] mon cher, que ce fût une plaisanterie, mais il n'en est rien . . . Ces folies sont sérieusement enseignées à de futurs professeurs qui préparent ensuite, sous la surveillance du
20 professeur Windbag, quelque incroyable thèse sur «Le rôle de la femme de charge dans les cours supérieurs de jeunes filles» . . . Et non seulement ces choses sont enseignées, mais elles inspirent la plus grande admiration à quelques-uns de nos seigneurs et bienfaiteurs. Windbag est un homme qu'ils tiennent en haute estime

même: de — que, just as
onctueux, -se, unctuous
revêtir, to clothe, invest
hebdomadaire, weekly
plaisanterie (*f*), joke
surveillance (*f*), supervision
femme: — de charge, maid, servant

1. **Plût au ciel**, *Would to heaven.*

et auquel le président Spencer lui-même n'a jamais osé toucher. Car non seulement c'est un pseudo-savant, mais un pseudo-saint . . . Onctueux, disiez-vous . . . Oui, onctueux et hypocrite. Il me rappelle ce personnage de Dickens[1] qui ressemble à un poteau indicateur en ceci qu'il montre la direction à suivre et ne la suit 5 jamais lui-même . . . Vous n'avez pas entendu notre Windbag prêcher dimanche dernier à la chapelle? . . . C'était admirable . . . Il avait pris un texte de saint Paul: «Ils sont devenus fous et s'attribuent le nom de sages . . .» et il a tonné contre la science moderne, contre moi en particulier, avec un talent indiscutable, 10 car ce mauvais esprit est un grand orateur . . . Flatteur, disiez-vous enfin . . . Il a en effet trouvé pour flatter les Scripps, les Higgins, les Mitchell, une méthode fort adroite . . . Il a entrepris un ouvrage sur les traits à développer chez les élèves pour en faire de grands hommes d'affaires et il a consulté là-dessus ces pontifes, 15 leur demandant respectueusement à quelle vertu ils doivent d'être devenus les plus illustres des distillateurs, des métallurgistes, des banquiers . . . Chacun d'eux est fier d'être pris pour modèle et Windbag se fait ainsi, parmi nos maîtres, de puissants amis . . . Il n'avoue pas ses ambitions, il ne pose pas sa candidature, mais 20 nous sommes ici deux ou trois qui le voyons venir[2] et nous sommes décidés à l'écarter . . .

— Je crois que vous n'aurez pas grand'peine . . . Entre un Windbag et un Philipps, qui hésiterait?

— Ah! Je ne suis pas de votre avis . . . Qui hésiterait? Mais ceux 25 mêmes de qui dépend le choix . . . Car les qualités de Philipps, si

poteau indicateur, guide post
prêcher, to preach
chapelle (*f*), chapel
attribuer: s' —, to attribute to oneself, to claim
tonner, to thunder
esprit: mauvais —, rascal
entreprendre, to undertake
pontife (*m*), pontiff, "tycoon"
banquier (*m*), banker
candidature: poser sa —, to announce his candidacy
écarter, to thwart

1. **ce personnage de Dickens,** *this character by Dickens,* doubtless Uriah Heep. 2. **nous sommes ici deux ou trois qui le voyons venir,** *there are two or three of us here who see his intentions.*

solides, ne sont pas apparentes . . . Windbag mêle la politique à l'enseignement. Je ne sais s'il ne rêve pas quelquefois à l'aventure d'un Woodrow Wilson et ne voit pas, dans la présidence de Westmouth, un pas vers la présidence des États-Unis . . . Il se vante 5 volontiers d'être un homme d'action . . . Il parle avec mépris de la mollesse du président Spencer et de cette faculté émasculée . . . Cela, c'est nous, mon cher . . . Ces violences mettent dans son jeu[1] certains de nos administrateurs qui, de bonne foi, craignent l'indulgence de Philipps . . . Et puis, il y a Mrs Philipps, qui n'est 10 pas, il faut l'avouer, une bonne carte dans le jeu de notre candidat . . . Vous savez ce qu'elle est, Dumoulin, bonne personne, mais assez ridicule . . .

— Il y a là, dis-je, une part de légende.[2]

Je connaissais bien Mrs Philipps qui parfois m'invitait à 15 prendre le thé avec elle pour parler des poètes français. Elle se piquait d'être une «artiste» et avait un goût sincère pour la poésie, la musique, la peinture. Le malheur était qu'elle demeurait, en un temps où les jeunes hommes, en Amérique, n'admiraient plus que Hemingway, Picasso[3] ou Strawinsky,[4] attachée aux modes 20 littéraires et vestimentaires qui avaient été, vers 1900, celles de son adolescence. C'était un spectacle que Westmouth jugeait comique de voir entrer dans un salon cette femme géante (ses dimensions étaient celles de la Melpomène du Louvre),[5] vêtue d'une robe telle qu'en portaient les héroïnes des tableaux préraphaëlites[6]

vanter: se —, to vaunt, to boast
mollesse (*f*), softness, weakness
émasculé, weak
jeu (*m*), hand (of cards)
piquer: se — de, to take pride in
peinture (*f*), painting
vestimentaire, pertaining to clothing
géant, giant, gigantic

1. **mettent dans son jeu**, *cause : : : to play into his hand.* 2. **Il y a là . . . une part de légende,** *A part of it is fiction.* 3. **Picasso,** Spanish painter who has lived mainly in Paris. Founder of the school of cubism. 4. **Strawinsky,** (more commonly Stravinsky), Russian composer, leader of the so-called Futurism movement. 5. **la Melpomène du Louvre,** the huge statue of the muse of tragedy, Melpomene, in the Louvre. The Louvre, situated in Paris, is one of the world's greatest museums. 6. **les tableaux préraphaëlites,** pictures of the 19th century school of painters who claimed that painting reached its apogee in the painting of the predecessors of Raphael.

et récitant avec un accent indescriptible des vers de François Coppée,[1] de Sully Prudhomme[1] ou de Longfellow. Parfois, elle réunissait des professeurs et leurs femmes pour leur lire ses propres compositions, et c'est faire un grand éloge de la bienveillance qui régnait à Westmouth que de constater que personne ne riait, 5 qu'elle était écoutée avec patience, et qu'après vingt-cinq ans de séjour dans cette université, elle ne pouvait se douter de l'effet qu'elle y produisait.

On m'avait raconté là-dessus, au moment de mon arrivée, un trait que je trouve assez touchant. Un étudiant de Westmouth, 10 esprit brillant et rebelle, étant devenu, après ses années d'université, un romancier à la mode, eut l'idée de faire de Mrs Philipps le personnage central d'un de ses livres et esquissa d'elle un portrait trop ressemblant. Le premier des membres de l'université qui reçut ce roman ne put imaginer sans pitié ce que serait la 15 douleur de Mrs Philipps si elle lisait ce texte cruel. Il alerta aussitôt ses collègues et une véritable conspiration se forma pour supprimer le livre en tout lieu où les Philipps auraient pu le rencontrer. Tous les exemplaires du libraire local furent achetés. Celui de la bibliothèque, fut, par miracle, toujours en lecture ainsi 20 que les revues qui contenaient des comptes rendus du livre. Pour éviter toute surprise, on fit serment de n'en jamais parler. Et tel fut le succès de ces manœuvres, qu'au moment de notre arrivée, c'est-à-dire dix ans plus tard, Mrs Philipps continuait à porter ses robes préraphaëlites et à réciter du Sully Prudhomme sans se 25 douter qu'elle était en train de copier sa propre caricature.

— Il y a là, répétai-je, une part de légende . . . La culture de

indescriptible, indescribable
éloge (*m*), praise
bienveillance (*f*), benevolence
douter: se — de, to suspect
trait (*m*), incident
esquisser, to sketch, draw
alerter, to warn
conspiration (*f*), conspiracy
exemplaire (*m*), a copy (of book, etc.)
libraire (*m*), bookseller
compte rendu (*m*), review

1. François Coppée and Sully Prudhomme, French poets of the second half of the 19th century.

Mrs Philipps est surannée, mais réelle . . . Et puis c'est une si brave femme.

— Certes, mon cher Dumoulin . . . Mais imaginez le parti que pourrait tirer de ses petits ridicules un adversaire sans scrupules 5 . . . Nous savons, nous, qu'elle est la meilleure personne du monde et que, si elle régnait à Lakeview, elle y serait respectée et aimée par nous . . . Mais il serait assez facile de faire croire le contraire à des *trustees*[1] moins bien informés et qui n'ont pas tous l'esprit de Westmouth . . . D'ailleurs . . .

10 A ce moment, la femme de chambre de Mrs Hickey ouvrit la porte du studio et annonça:

— Professeur Windbag, sir.

Je pris congé et saluai, en traversant le vestibule, la vigoureuse carrure et le masque romain[2] du visiteur.

tirer parti de, to turn to account, to make use of
carrure (*f*), breadth of shoulders
masque (*m*), mask
romain, Roman

1. **de faire croire le contraire à des trustees . . .,** *to make some trustees believe the contrary.* 2. **le masque romain,** *mask-like Roman features.*

CHAPITRE XII

MINES ET CONTRE-MINES[1]

Je pensai, en voyant Windbag entrer chez Hickey au moment même où celui-ci venait de m'en parler avec un vif intérêt, que le physicien avait, sous un prétexte quelconque,[2] convoqué le pédagogue, afin de le psychographier. Je ne m'étais pas trompé. Étant retourné le lendemain soir chez mes voisins, je trouvai 5 Hickey et sa femme fort agités.

— Ah! dit-il en m'apercevant. Voici l'homme qu'il nous faut[3] . . . Dumoulin, mon ami, vous allez nous départager, car Gertrude et moi sommes en désaccord sur une question grave . . . Il s'agit de l'illustre Windbag . . . Vous l'avez rencontré hier ici . . . Vous 10 devinez . . .

— Je devine . . .

— Bien! Ces Français sont admirables! Ils comprennent tout à demi-mot[4] . . . *Well*, mon cher, cette fois le psychographe a gagné ses galons . . . J'ai découvert, grâce à lui, toute une machination 15 . . . Je vous épargne les détails de ma stratégie . . . Sous un prétexte quelconque, j'ai abandonné Windbag pendant un quart d'heure à portée de l'appareil et l'homme s'est mis à rêver . . . Voulez-vous entendre son psychogramme? Il est bien curieux.

— Je l'entendrai volontiers, dis-je, quand nous aurons l'un et 20 l'autre plus de loisir. Mais pour le moment, résumez-le-moi.

— Vous avez raison . . . D'abord, longue fureur contre moi, qui me permettais d'abandonner aussi longtemps un homme éminent

départager, to settle by casting a vote, to break a tie vote
désaccord (*m*), disagreement
demi-mot (*m*), a hint
galon (*m*), stripe
machination (*f*), plot
épargner, to spare, to save
portée: à — de, within range of
loisir (*m*), leisure
résumer, to sum up, recapitulate

1. **mines et contre-mines**, *plots and counter-plots.* 2. **un prétexte quelconque**, *some pretext or other.* 3. **qu'il nous faut**, *that we need.* 4. **Ils comprennent tout à demi-mot**, *They need only a hint to understand thoroughly.*

... «Ces Anglais se croient tout permis![1] ... Ce compte sera un jour réglé ... Quand nous serons à Lakeview ...» Puis complaisantes visions de grandeur présidentielle ... Un Hickey timide et déférent accueilli avec condescendance par un majestueux 5 Windbag. «Ce sera bien autre chose que le pauvre Spencer[2] ... Le malheureux est atteint de paralysie de la volonté ...»

— Oui, dit Gertrude Hickey en riant, c'était bien comique la manière dont l'appareil répétait: «Paralysie de la volonté ... paralysie de la volonté ...»

10 — Puis notre Windbag a examiné (tout cela est dans le psychogramme), sans doute pour la millième fois, le plan qui devait amener son élévation et le débarrasser en Philipps d'un concurrent dangereux ... Plan fort ingénieux ... D'abord, il a compris, ce qui je crois est vrai, que le meilleur atout dans son jeu est le 15 caractère apparent de Mrs Philipps ... Plus les grands *alumni* la connaîtront et plus les chances de Philipps diminueront ... Par conséquent, il importe de la leur faire connaître ... Pour y arriver, lui Windbag, doit s'efforcer de devenir l'ami de Mrs Philipps.

— De cela, dit Gertrude Hickey, je m'étais aperçue depuis quel-20 que temps ... Il s'invitait chez elle à prendre le thé; il demandait à entendre la pauvre femme lire des vers ...

— Bien sûr,[3] continua Hickey. Le but est de conquérir la confiance de la dame ... Cela fait, on lui suggérera, pour aider à l'avancement de son mari, de donner quelques réceptions intimes 25 en l'honneur des principaux bienfaiteurs de l'université ... Vous apercevez la profondeur de cette perfidie. C'est la victime elle-même qui sera l'instrument de sa propre perte ... Et ce n'est pas tout ... Car notre Windbag est homme de ressources ... Le psy-

complaisant, complacent
déférent, deferential
débarrasser, to rid
concurrent (*m*), rival
atout (*m*), trump; winning card, ace

1. **Ces Anglais se croient tout permis,** *These Englishmen think they can get away with anything.* 2. **Ce sera bien autre chose que le pauvre Spencer,** *I shall be very different from poor Spencer.* 3. **bien sûr,** *certainly, to be sure, surely.*

chogramme m'a laissé entrevoir tout un plan fort machiavélique de chahuts d'étudiants, qui seraient déclenchés en temps opportun pour prouver le manque d'autorité du Doyen . . . Là-dessus j'ai peu de détails car, évidemment, il y avait souvent pensé et ce qui, dans mon texte, s'y rapporte, ne procède que par allusions . . . Malgré tout, j'en ai assez entendu pour savoir que mes soupçons étaient fondés, que cet homme a une âme très noire, des ambitions ardentes et précises, et qu'il importe au plus vite de déjouer ses manœuvres . . . C'est ici que Gertrude et moi cessons d'être d'accord.

— Malcolm veut, dit Mrs Hickey, que je prévienne Mrs Philipps . . . Moi je dis que la pauvre femme est incapable de se défendre. D'abord, elle ne croira jamais à son propre ridicule et accueillera les flatteries intéressées de Windbag beaucoup mieux que nos conseils.

— Gertrude, coupa Hickey, souhaite que j'aille voir tout de suite le président Spencer et que je lui expose l'affaire. J'avoue que j'hésite un peu, car il faudrait commencer par lui révéler l'existence du psychographe . . . Je ne sais pas jusqu'à quel point il ne me blâmera pas d'avoir eu recours à un tel procédé pour forcer la pensée d'un collègue . . . Vous-même, mon cher Dumoulin, avez été là-dessus assez sévère lorsque vous étiez en cause . . . Quel est votre sentiment?

— Je suis, dis-je, de l'avis de Mrs Hickey . . . Si vous prévenez les Philipps, ils réagiront très mal . . . Ils seront terrifiés par tant de méchanceté . . . Ils en douteront . . . Et en outre ils perdront pour l'avenir toute confiance en eux-mêmes et renonceront spontanément au poste que, comme moi, vous souhaitez les voir occuper . . . Au contraire, si vous prévenez le président, c'est lui qui arrangera tout en secret . . . Il a autant de bon sens que de bonté

machiavélique, Machiavellian
chahut (*m*), riot
manque (*m*), lack
rapporter: se — à, to relate, refer to
soupçon (*m*), suspicion
déjouer, to foil, thwart
recours (*m*), recourse
forcer, to violate
cause: être en —, to be concerned
réagir, to react
méchanceté (*f*), wickedness

... Et quant à votre invention, Hickey, il en sera si surpris qu'il s'émerveillera, je crois, beaucoup plus qu'il ne blâmera.

— Soit, dit alors Hickey, mais à une condition: c'est que vous, Dumoulin, m'accompagnerez à Lakeview. Il me faut un témoin
5 ... Je ne veux pas que le Président me prenne pour un fou quand je lui parlerai d'une machine à lire les pensées.

Il fut convenu qu'un rendez-vous serait demandé pour le lendemain et que nous nous y rendrions ensemble. La surprise du président Spencer fut grande quand il entendit notre récit, mais
10 la rapidité d'adaptation de ce vieillard me frappa. Loin de blâmer Hickey, il le loua, mais ajouta gravement:

— Bien entendu, professeur Hickey, il faudra qu'avant la fin de l'année vous fassiez sur votre découverte une communication officielle ... Il ne serait pas loyal de votre part de conserver en vos
15 seules mains un tel moyen d'information et de domination ... Pourrai-je voir l'appareil?

Hickey avait apporté un psychographe; il le démonta devant le Président. Celui-ci le regarda faire, sans prononcer un mot, avec une attention constante. Quand il rouvrit la bouche, ce fut pour
20 dire:

— Quant à l'affaire Windbag, je ne crois pas qu'il soit prudent d'avertir Mrs Philipps ... Cependant j'aimerais, là-dessus, à consulter Mrs Spencer qui connaît ce ménage mieux que nous ... D'ailleurs, elle sera très intéressée par votre découverte, professeur
25 Hickey ... Venez avec moi.

Mrs. Spencer ne fut même pas étonnée par nos révélations.

— *Well, well, well well*! dit-elle ... Ce qu'on peut imaginer de nos jours![1] ... Et comment va Madame, professeur Dumoulin? ... Est-ce qu'elle commence à s'habituer un peu à nous? ... Je
30 sais que son thé de mercredi a été très réussi; les étudiants étaient

émerveiller: s' —, to marvel, to be amazed
soit! so be it, all right
découverte (*f*), discovery
démonter, to take apart
habituer: s' — à, to become accustomed to, get used to
réussi, successful

1. **de nos jours**, *in our days, nowadays.*

pleins d'éloges . . . *Well, well, well, well* . . . Ah! Oui! Cette affaire Windbag? . . . Eh bien! Je pense qu'il ne faut certainement rien dire aux Philipps . . . Pauvre créature! Elle serait malheureuse pour le restant de ses jours . . . Non, non! Je vais parler de cela avec le Président et nous trouverons un autre moyen . . . *Leave it* 5 *to me*, professeur Hickey! . . . Laissez-moi faire, professeur Dumoulin . . .

Je ne sais si le plan des opérations fut conçu par elle ou par le Président; mais il fut magistral. Le Conseil des *trustees* se réunissait une fois par mois à Lakeview. A la réunion suivante, 10 sans aucun avis préalable, le président Spencer annonça officiellement en fin de séance qu'il prendrait sa retraite dès le mois de juillet et demanda au Conseil de nommer pour lui succéder le doyen Philipps, dont il fit un éloge sans réserves. Le vieux Higgins qu'il avait, je ne sais comment, enrôlé dans son camp, seconda 15 aussitôt cette motion. Les opposants, s'il y en avait, furent pris au dépourvu; ils n'avaient pu se concerter avant la séance puisque nul, sauf Higgins qui avait tenu sa langue, ne savait que la question y serait soulevée. Le nom de Windbag ne fut même pas prononcé. Le Président mit la proposition aux voix et Philipps se trouva élu 20 président de Westmouth par neuf voix contre trois bulletins blancs. Jamais élection n'avait été enlevée avec autant d'habileté et jamais celui qui en était le bénéficiaire n'avait été un homme moins habile.

Après le vote, le Président et les *trustees* allèrent ensemble ap- 25 prendre au Doyen sa nomination. Le bonheur du couple Philipps fut un spectacle touchant. Quand la nouvelle se répandit, toute l'université les fêta. Windbag lui-même, son beau masque romain

restant (*m*), rest, remainder
magistral, masterly
préalable, previous
enrôler, to enroll
opposant (*m*), opponent
dépourvu: pris au —, caught unawares, unprepared
concerter: se —, to deliberate, to come to an agreement
proposition (*f*), motion
voix (*f*), vote
élire, to elect
bulletin (*m*), ballot
habileté (*f*), cleverness, skill
nomination (*f*), appointment

soudain devenu très jaune, fut parmi les premiers à apporter ses compliments. Naturellement, la rapidité de l'événement surprit tout le monde. Mais seuls les Spencer, les Hickey et moi-même savions qu'elle était due au psychographe et nous gardâmes tous 5 le secret, de sorte que ce ne fut pas cette affaire qui fit connaître l'appareil au public, mais deux autres épisodes qu'il faut maintenant rappeler.

CHAPITRE XIII

DEUX ÉPISODES

J'ai déjà parlé de l'incroyable importance qui était, à Westmouth, comme dans la plupart des universités américaines, attachée à la saison de football. Les élèves choisis pour faire partie de l'équipe abandonnaient, pendant l'entraînement, leurs études. Ils «travaillaient» alors dans un stade enclos de murs élevés et dont l'entrée était gardée avec sévérité, car le sport avait, depuis quelques années, pris aux États-Unis allure de guerre civile. L'espionnage sévissait, certains collèges allant jusqu'à entretenir un véritable service secret, chargé d'épier les manœuvres et formations de l'adversaire. Au moment où j'écris, ces pratiques sont condamnées par les principales universités et celles-ci ont promis de s'en abstenir; mais au temps de mon séjour à Westmouth, la méfiance était grande et la prudence légitime.

L'efficacité d'un tel espionnage doit surprendre ceux qui, comme la plupart des Français, ne connaissent que deux formes de football: l'association et le rugby, toutes deux admettant des variétés infinies de combinaisons et exigeant que les plus belles conceptions tactiques soient improvisées. Mais le football américain est un jeu plus mécanique. Avancer avec la balle y est si difficile que, pour tromper et percer la défense, l'équipe assaillante doit préparer ses offensives pouce par pouce, comme étaient arrivées à le faire, en 1917, les infanteries européennes. De longues séries de gestes (dites «plays» ou «jeux») sont réglées, apprises par cœur, répétées, et chacune d'entre elles porte un numéro. Si le capitaine

partie: faire — **de,** to belong to, be members of
équipe (*f*), team
entraînement (*m*), training period
stade (*m*), stadium
enclore, to enclose
sévir, to rage
entretenir, to maintain
assaillant, attacking, on the offensive
pouce (*m*), thumb, inch
régler, to order, arrange
répéter, to repeat, rehearse
numéro (*m*), number

annonce «23», aussitôt chacun des joueurs sait quelle place il doit occuper dans la formation et si son rôle sera de charger, de passer, de dégager par un coup de pied ou de bloquer un adversaire. Telle étant la nature de ce jeu, on imagine les services que peut rendre à 5 une équipe la connaissance des formations «répétées» par ses rivaux.

Au cours même de la partie, il est nécessaire de veiller à ce que[1] l'équipe adverse ne puisse deviner que tel signal correspond à telle série de mouvements. Aussi a-t-on imaginé mille combinaisons 10 pour assurer le secret. Tantôt le capitaine et ses hommes se groupent en un petit cercle serré et le plan de la prochaine attaque est indiqué à voix basse; tantôt le chiffre est crié à haute voix, mais noyé[2] parmi d'autres. Par exemple, il sera convenu entre le capitaine et ses hommes que, sur trois groupes de deux chiffres, c'est 15 le second seul qui compte. Alors, «43, 37, 25» signifie pour les initiés: «Jeu 37». Ou bien le groupe de deux chiffres qui suit un 9 est le seul valable. Ainsi, «21, 37, 29, 30» annonce le jeu 30. Bien plus, ces combinaisons elles-mêmes pouvant, malgré leur complication, se trouver percées à jour,[3] le *coach* (ou entraîneur) enseigne à 20 ses hommes l'art de les transformer au cours de la partie, comme font les états-majors pour ces codes mystérieux qui, en temps de guerre, servent au chiffrage des dépêches.

Je m'excuse de cette digression; elle était nécessaire pour que le lecteur pût comprendre le premier des épisodes auxquels j'ai fait 25 allusion et qui révélèrent le psychographe au public américain. Je les raconterai fort brièvement car il est facile d'en retrouver le récit détaillé dans les journaux du temps. Pour ce qui nous occupe ici, il suffit de savoir: 1° Que le jeune Darnley, fanatique du football,

dégager par un coup de pied, to punt
serré, compact, close; **cercle —,** "huddle"
initié (*m*), initiated
valable, valid, good
chiffrage (*m*), writing in cipher, coding
dépêche (*f*), dispatch, telegram
brièvement, briefly

1. **veiller à ce que,** *to see to it that.* 2. **noyé,** *hidden* (in this context). 3. **percées à jour,** *deciphered.*

était, en même temps que l'assistant de Hickey, celui du *coach* de Westmouth, le fameux Lovejoy; 2° Que le match Westmouth-Armée formait chaque année l'événement central de la saison de football; 3° Que, cette année-là, l'équipe de l'Armée (celle des cadets de West-Point) était infiniment meilleure que la nôtre; 4° Que les tours les plus savants de West-Point échouèrent pourtant comme par miracle; 5° Que, malgré notre évidente infériorité, Westmouth, à la grande surprise de tous les experts, gagna le match par 27 points contre 15; 6° Que notre coach, après la partie, laisse échapper devant Hickey une ou deux phrases imprudentes ou plus exactement inconscientes; 7° Que Hickey fit une rapide enquête, laquelle prouva qu'un psychographe avait été installé la veille par Darnley dans la chambre occupée à l'hôtel de Westmouth par le capitaine de West-Point; 8° Que ces faits furent portés à la connaissance du président Spencer et que cet honnête homme demanda aussitôt que le match fût rejoué; 9° Que cette aventure occupa pendant trois semaines tous les journaux sportifs des États-Unis; 10° Et enfin que Hickey, physicien connu la veille seulement de quelques spécialistes, devint en un jour aussi célèbre qu'un boxeur ou qu'un bandit.

Nous vîmes alors, Suzanne et moi, notre avenue, jadis si tranquille, se remplir de reporters. Les meilleurs journalistes de New-York furent chargés de «couvrir», comme on dit là-bas, l'affaire Hickey. Mon voisin était devenu «nouvelle de première page», et quand les agences découvrirent que j'avais été mêlé à l'invention du psychographe, je commençai moi-même à recevoir des télégrammes me demandant des articles sur la «machine à lire les pensées». Naturellement, je m'abstins, fermement décidé à ne pas compromettre en ma personne la dignité de l'université. Mais certains de nos collègues eurent moins de scrupules et firent à Westmouth, dans la presse des deux continents, une déplaisante publicité.

échouer, to fail
échapper: laisser — un mot (une phrase), to drop a word (a sentence)
enquête (*f*), investigation
agence (*f*), newspaper agency

Ce fut cette publicité qui fut cause du second épisode auquel j'ai fait allusion. Je veux parler de la célèbre affaire Ladislas Kogacz. On se souvient de ce brillant avocat accusé d'avoir assassiné le mari d'une femme dont il était l'amant. L'éclat de
5 la lutte oratoire entre l'accusé et l'attorney du district avait, en quelques semaines, fait de l'affaire Kogacz une cause aussi célèbre que l'affaire Dreyfus.[1] Après la condamnation, des milliers de télégrammes s'étaient abattus sur le gouverneur de l'État, le suppliant de faire grâce à un innocent. Trois fois l'exécution avait
10 été annoncée, et trois fois le gouverneur, justement troublé, avait trouvé des prétextes légaux pour accorder un sursis. A ce moment se trouva révélée par la presse l'existence du psychographe et, tout naturellement, les autorités de la prison eurent l'idée de demander à Hickey un de ses appareils et de le placer dans la cellule
15 de Kogacz.

Je me souviens de la soirée au cours de laquelle, devant nos deux femmes, Hickey et moi discutâmes longuement au sujet de cette affaire. Il hésitait sur la réponse qu'il enverrait aux autorités de Pensylvanie.

20 — Il me semble, disait-il, qu'il y aurait quelque chose de peu sportif à violer ainsi, sans qu'il pût se défendre, les retraites les plus secrètes de l'esprit d'un prisonnier. C'est donner à l'accusation trop beau jeu.

— Je ne suis pas de votre avis, répondis-je. Si Kogacz est in-
25 nocent, votre appareil apportera la preuve irréfutable de cette innocence; s'il est coupable, tant pis pour lui! Un assassin ne m'intéresse guère.

avocat (*m*), lawyer
amant (*m*), lover
oratoire, oratorical
condamnation (*f*), conviction
grâce: faire — à, to pardon
sursis (*m*), delay, reprieve
accusation (*f*), prosecution
jeu: beau —, good cards, good chance

1. **l'affaire Dreyfus,** *the Dreyfus case.* Alfred Dreyfus (1859–1935) son of a Jewish manufacturer, and captain on the French general staff, was charged with selling documents of value to the German government. He was tried by court martial in 1894, found guilty and unjustly exiled to Devil's Island. In 1916 he was retried and found innocent.

— Si même il a tué, disaient nos femmes, pourquoi le perdre?[1] L'assassin par amour n'est pas dangereux. Ne vous mêlez pas de cette affaire.

Hickey finit par se ranger à mon avis ou du moins par reconnaître qu'il ne pouvait refuser, à la justice du pays où il vivait, le bénéfice 5 d'une découverte devenue publique et il envoya Darnley en Pensylvanie. Ce fut la condamnation définitive du malheureux Kogacz qui, non seulement était bel et bien coupable de ce crime, mais de deux autres que révéla le psychogramme. Après cet 10 éclat, Kogacz alla tout droit à la chaise électrique et Hickey devint plus que jamais la providence des journalistes. Il en souffrait, parlait de quitter Westmouth et de se réfugier en Angleterre; mais cela même eût été vain. Le psychographe était désormais connu dans le monde entier et son inventeur condamné à la gloire. 15

ranger: se — à, to embrace, side with
bénéfice (*m*), profit, benefit
bel et bien, right-well, downright
éclat (*m*), revelation

1. **Pourquoi le perdre?** *Why ruin his chances?*

CHAPITRE XIV

THE PSYCHOGRAPH COMPANY INC.

Comme bien on pense,[1] les hommes d'affaires américains avaient tout de suite compris que la vente du psychographe pouvait devenir pour eux source de grandes richesses. Après le procès Kogacz, la maison de Hickey fut assiégée par leurs émissaires.
5 Mais si brillantes que fussent leurs offres,[2] notre ami hésita longtemps à les accepter. Il disait qu'un savant ne doit pas tirer profit de ses inventions, mais en faire don à l'humanité et se tenir pour[3] convenablement rétribué s'il prend, dans l'histoire des sciences, une place honorable. Ses collègues lui rappelèrent que
10 lord Kelvin,[4] l'un des plus illustres physiciens anglais, avait fait partie, en Amérique, de conseils d'administration; Suzanne lui prouva que s'il mettait son invention dans le domaine public,[5] il enrichirait des inconnus aux dépens de ses propres enfants; moi-même, je lui fis observer que rien ne l'empêchait de consacrer ses
15 gains à quelque œuvre utile et désintéressée ; il accepta enfin de recevoir, non pas les innombrables solliciteurs, mais le plus notoire d'entre eux: le tout-puissant Edward Fork.

L'un des maîtres de la radio américaine, Edward Fork était en

procès (*m*), trial
assiégé, besieged
émissaire (*m*), emissary. messenger
brillant, dazzling
convenablement, suitably
rétribué, rewarded
conseil (*m*): — **d'administration**, administrative board
enrichir, to enrich
dépens: aux — de, at the expense of
observer: faire — à, to call to one's attention
gain (*m*), profit
désintéressé, disinterested, unselfish
innombrable, innumerable
notoire, notorious
maître (*m*), head, leader

1. **Comme bien on pense,** *As one can well imagine.* 2. **si brillantes que fussent leurs offres,** *dazzling as their offers were.* 3. **se tenir pour,** *to consider himself.* 4. **Lord Kelvin** (William Thompson), British mathematician and physicist (1824–1907). 5. **s'il mettait son invention dans le domaine public,** *if he allowed his invention to become public property.*

même temps *trustee* de Westmouth. Je le connus alors assez intimement, car Hickey, pour être certain de ne rien faire qui pût être blâmé par ses pairs, avait prié le doyen Philipps et moi-même d'assister à ces entretiens. Fork me surprit, car ce capitaine d'industrie, que j'imaginais silencieux et fort, se révéla, au cours 5 des négociations, hésitant et bavard. Ébloui par sa propre réussite (il avait débuté comme simple employé dans l'entreprise géante qu'il dirigeait), il éprouvait le besoin de rappeler à tout propos l'histoire de sa vie. De sa fortune, il faisait l'usage le plus naïf; nous déjeunâmes un jour, Hickey et moi, chez lui, à Baltimore; il 10 y avait reconstitué à grands frais un palais florentin qui s'y trouvait déplacé, morne et comique. Honnête homme d'ailleurs, il ne chercha jamais à imposer à Hickey un contrat léonin.[1]

— Professeur Hickey, dit-il tout de suite, nul ne peut prévoir ce que sera la valeur marchande de votre invention . . . Je ne citerai 15 donc, pour le moment, aucun chiffre, à moins que vous ne[2] souhaitiez une garantie minima que je vous donnerai volontiers . . . Ce que je vous offre . . . c'est de fonder avec vous *The Psychograph Company* et de vous donner, en paiement de vos apports, une part du capital de la compagnie, plus une redevance fixe par appareil 20 vendu . . . Quel est, selon vous, docteur Hickey, le prix de revient d'un de vos psychographes?

— C'est difficile à dire, répondit Hickey; les quelques appareils construits par mon préparateur, avec les moyens de nos labora-

pair (*m*), equal, associate
bavard, talkative
ébloui, dazzled
réussite (*f*), success
débuter, to begin
propos: à tout —, at every opportunity
reconstituer, to rebuild
florentin, Florentine
déplacé, misplaced, out of place
morne, mournful, gloomy
marchand, -e, saleable, market
garantie (*f*), guaranty
minim-um, -a, minimum
apport (*m*), contribution
redevance (*f*), royalty
fixe, fixed, regular, invariable
prix (*m*): **— de revient,** net cost
moyens (*m. pl.*), resources

1. **un contrat léonin,** i.e., a contract in which he (Fork) would take the lion's share of the profits. Translate, *un unfair contract.* 2. Pleonastic **ne** after **à moins que.** Omit.

toires et l'aide des artisans de Westmouth, ont naturellement coûté fort cher . . . A peu près cent cinquante dollars chacun. Mais une fabrication en série permettrait d'abaisser beaucoup ce prix . . . Je suppose qu'il serait possible d'arriver à trente ou
5 quarante dollars . . . J'avoue que j'énonce le chiffre au hasard, car je manque de données précises.

— *Waal*, dit Fork (c'était ainsi qu'il prononçait le mot *well* . . . *Waal*, vous allez me confier un de vos appareils et je ferai étudier ces questions techniques par nos bureaux . . . A la vérité, peu im-
10 porte[1] . . . Au début, nous pourrons vendre le psychographe n'importe quel prix:[2] cent dollars, deux cents dollars . . . Pensez: l'appareil est nouveau; il est sans concurrents; il est indispensable . . . Aucune difficulté . . . Plus tard, quand nous voudrons atteindre le public populaire, il faudra trouver le moyen d'établir des
15 modèles à bon marché; mais avant d'en arriver là,[3] nous pouvons pendant quelques années exploiter les couches supérieures . . . C'est ainsi que j'ai procédé avec mes appareils de radio et nous avons distribué jusqu'à trente-cinq pour cent de dividende . . . *Yes, sir* . . . Lorsque j'ai débuté dans ce métier . . .

20 Hickey, qui avait déjà entendu le récit de ces débuts, interrompit l'industriel pour demander si le nom de «psychographe» était bien le meilleur.

— *Waal*, dit Fork, ceci concerne nos services de vente; je vais vous envoyer mon chef de publicité.

25 Le lendemain, en effet, Hickey me convoqua pour une conversation avec Mr Drummer. C'était un personnage étonnant. Intelligent, aussi autoritaire que son patron Fork était timide, mais

artisan (*m*), craftsman, mechanic
fabrication (*f*): **— en série**, mass production
énoncer, to state, express
hasard: au —, at random
bureau (*m*), staff
populaire, general
établir, to set up, erect
marché: à bon —, cheap
couches (*f. pl.*): **— supérieures**, upper (strata) classes
pour cent, per cent
services (*m. pl.*): **— de vente**, sales office

1. **peu importe**, *it matters little.* 2. **n'importe quel prix**, *at any price at all.* 3. **avant d'en arriver là**, *before reaching that point*, i.e. *before doing that.*

tout à fait cynique, Drummer parla des acheteurs futurs de l'appareil avec un mépris incroyable.

— Professeur, dit-il, en toute campagne de publicité, il faut partir de données réalistes sur la nature humaine ... Le public est vulgaire; il est vaniteux; il est peureux ... et il est «sex-conscious» ... Avec l'invention qui nous est confiée aujourd'hui, auquel de ces sentiments pouvons-nous faire appel? ... J'en vois plusieurs ... Une grande page en couleur; une ravissante fille: «*Vous aime-t-elle? Psiki vous le dira ...*» Je crois que je préfère Psiki à psychographe ... quoique psychographe fasse appel au snobisme scientifique, précieuse forme de vanité ... ce qui n'est pas sans importance ... Il faudra y réfléchir ... Mais Psiki est plus facile à retenir pour le grand public ... A côté d'une jeune fille, un beau garçon rêve: «*Vous désire-t-il? Psiki seul le sait.*» En ménage: «*Qu'a-t-elle fait aujourd'hui? Me dit-elle la vérité? Oui, car Psiki la surveille ...*» Un couple charmant dans un bateau, à deux doigts d'un rocher sous-marin: «*Notre ménage allait chavirer; Psiki nous a sauvés ...*» Naturellement, professeur, tout cela est mauvais, improvisé; nous trouverons beaucoup mieux; mais je vous indique en ce moment la ligne générale.

— Elle me semble inquiétante, dit Hickey.

— N'ayez pas peur, professeur ... Nous aurons aussi un côté scientifique ... «*Après Freud, Psiki.*» «*Vous échouez en toute chose? Pourquoi? Parce que votre passé vous handicape. Le psychographe déracinera vos complexes.*»

A ce moment, je me permis d'interrompre cet homme de génie.

— Ne pourrait-on, dis-je, se servir de la phrase française célèbre: «La parole a été donnée à l'homme pour déguiser sa pensée ... et le psychographe pour arracher le déguisement.»

acheteur (*m*), buyer, purchaser
réaliste, realistic
vulgaire, vulgar
vaniteu-x, se, vain, conceited
peureu-x, se, fearsome, timid
appel: faire — à, to appeal to
snobisme (*m*), snobbishness
rocher (*m*), rock
sous-marin, submarine, submerged
chavirer, to capsize, upset
inquiétant, alarming
déraciner, to uproot, eradicate
déguiser, to disguise
déguisement (*m*), disguise

Mr Drummer me regarda sans bienveillance:

— Oh! non! dit-il en secouant la tête avec mépris . . . Je n'aime pas ça . . . Trop long, trop subtil, trop «sophistiqué» . . . Non . . . Non . . . Nous publierons plutôt des attestations de gens simples 5 . . . «Le psychographe a montré son efficacité en faisant le bonheur de milliers de familles. Voici quelques extraits de notre courrier d'hier: *Mon foyer, que je croyais détruit à jamais, vient d'être rebâti par le psychographe.—Je pensais qu'un père ou une mère ne peuvent jamais connaître leurs enfants; grâce au psycho-* 10 *graphe, la communication se trouve établie.*—D'une secrétaire: *Je n'arrivais pas à deviner ce que me reprochait un patron silencieux et bourru; le psychographe m'a éclairée et mes appointements sont maintenant doublés.*—D'un diplomate: *Le psychographe est le meilleur des secrétaires d'ambassade; c'est aussi un instrument de paix.*—D'un 15 médecin: *Enfin, je comprends mes patients,*—D'un professeur: *Je ne savais ce qui, dans mes cours, ennuyait ou intéressait mes élèves. Depuis que je les interroge au moyen du psychographe, mon auditoire a triplé.*»

— Admirable! dit froidement Hickey . . . Admirable et terri- 20 fiant!

— Pourquoi terrifiant, professeur? Si vous ne le voulez pas, votre nom ne figurera pas dans cette publicité . . . Et nous pouvons faire une grande partie du travail par démarches à domicile.[1] Quelle femme résistera longtemps à un bon vendeur qui lui 25 prouvera qu'il est désormais possible pour elle de connaître les plus secrètes pensées de son mari, de son beau-père, de sa belle-mère? . . . C'est presque trop facile, professeur . . . Moi, j'aime vendre

subtil, subtle
sophistiqué, sophisticated
attestation (*f*), testimonial
courrier (*m*), mail
rebâti, rebuilt, restored
bourru, mean, cross, moody
appointements (*m. pl.*), salary
doublé, doubled
diplomate (*m*), diplomat
ambassade (*f*), embassy
figurer, to figure
vendeur (*m*), salesman

1. **démarches à domicile**, *house-to-house calls.*

un objet absurde, inutile . . . Mais votre psychographe . . . Jeu d'enfant, professeur, jeu d'enfant . . . que cependant on pourrait rendre plus intéressant en créant des modèles de luxe . . . Si vous le permettez, professeur, j'en ferai dessiner au moins trois . . . le Conjugal, le Pocket-Psychograph et le Secret-Service . . . Ce dernier devra prendre les aspects les plus divers et dissimuler l'appareil sous des apparences inoffensives: vide-poche, classeur, gramophone . . .

A la vérité, je pourrais remplir plus de cent pages des discours et projets de Mr Drummer, mais ce n'est pas là mon sujet. Il suffit ici de rappeler que Hickey traita enfin avec Edward Fork et que la Compagnie du psychographe fut fondée dès le printemps 1926.

J'ai déjà montré que le psychographe avait exercé sur mon ménage une influence assez heureuse. Grâce à lui, nous avions appris, Suzanne et moi, à exprimer des pensées que nous avions jusqu'alors tenues secrètes, et aussi à contrôler des rêveries dangereuses. J'avais compris qu'il était injuste et ridicule d'exiger de ma femme une pureté d'esprit et une fidélité mentale dont j'étais moi-même incapable. Ma femme, de son côté, avait fait, pour dominer le vague mécontentement et la mauvaise humeur dont je me plaignais, un sincère effort qui avait été, comme il arrive presque toujours, récompensé par un plus grand contentement de soi. Peut-être faut-il ajouter que l'absence est une habitude, que les nouvelles des enfants étaient excellentes et que, la rue de Fontenelle s'enfonçant dans le temps, les eaux tranquilles de l'oubli l'avaient, dans l'esprit de Suzanne, lentement submergée. Ainsi s'explique la relative facilité avec laquelle ma femme consentit à prolonger de quelques mois notre séjour à Westmouth, ce qui me permit d'achever un cours auquel, je crois,

jeu (*m*): — **d'enfant**, child's play
vide-poche (*m*), work table or basket
classeur (*m*), portfolio, filing cabinet, desk with pigeon holes
traiter, to negociate, come to terms
fidélité (*f*), faithfulness
mécontentement (*m*), dissatisfaction
oubli (*m*), forgetfulness, oblivion
facilité (*f*), ease

les étudiants avaient pris goût, de ne pas rentrer en France au milieu d'une année scolaire et enfin de suivre les débuts de la Compagnie du psychographe.

Il fut tout de suite facile de prévoir que cette affaire, en Améri-
5 que, serait prospère. Une telle publicité avait été faite[1] par la presse à l'invention de Hickey que les premiers voyageurs de la Compagnie reçurent auprès des[2] marchands un accueil enthousiaste. Il avait été décidé de proposer le nouvel appareil à ces innombrables *drug-stores* qui, aux États-Unis, vendent aussi bien
10 des produits pharmaceutiques que des appareils photographiques ou des disques de gramophone. « Vous êtes photographe? Devenez psychographe!» fut un des *slogans* de Drummer. Bien que la fabrication en série ne fût pas commencée, la consommation de New-York apparaissait illimitée; l'Europe elle-même s'agitait et
15 réclamait des psychographes. Hickey qui, après une première période d'irritation et de méfiance, commençait à trouver cette aventure divertissante, me tint,[3] quelques semaines avant mon départ, le petit discours suivant:

— Mon cher Dumoulin, je vais vous faire une proposition qui
20 va d'abord vous surprendre et peut-être vous choquer, mais qui, je vous l'assure, mérite d'être examinée avec faveur. Drummer a reçu, depuis trois semaines, de votre pays, plusieurs lettres écrites par des personnages inconnus qui, tous, donnent les plus rassurantes références et demandent à devenir, en France, les agents généraux
25 du psychographe . . . Nous ne nous étions pas encore occupés de l'extension possible de la Compagnie à l'étranger, sauf en Angleterre; mais il est hors de doute que le succès de l'appareil ne sera pas moindre en Europe qu'en Amérique. Je vais droit au but[4]:

prendre goût à, to take a liking to
scolaire, academic
prospère, prosperous
presse (*f*), press
voyageur (*m*), travelling salesman
accueil (*m*), welcome, reception
proposer, to offer
consommation (*f*), consumption, sales
agiter: s' —, to become excited
réclamer, to demand
divertissant, amusing

1. **faite**, *given.* 2. **auprès de**, *from.* 3. **tint**, *made.* 4. **Je vais droit au but**, *I'll come straight to the point.*

seriez-vous disposé à devenir, pour la France, le représentant de notre compagnie?

— Moi? dis-je . . . Mais, cher ami, c'est impossible! Je suis professeur de littérature française et non . . .

— Je sais, dit-il, je sais . . . Vous êtes, comme moi-même, un universitaire . . . Votre activité est désintéressée et vous ne souhaitez pas entrer dans une profession commerciale. Mais j'ai fait jadis les mêmes objections et vous avez été le premier à les écarter . . . En outre, vous avez été mêlé aux débuts de cette aventure; j'ai fait sur vous des expériences dont je conserve quelques remords;[1] j'estime que je vous dois une réparation[2] . . . Or, ce que je vous offre aujourd'hui représente, songez-y, une véritable fortune . . . Combien y a-t-il en France d'appareils de radio? Plusieurs millions. Supposons même que l'on n'y vende, au cours des cinq premières années,[3] que cent mille psychographes (ce qui est un chiffre très bas) et que la commission sur chaque appareil soit approximativement d'un dollar . . . Je vous le répète, il s'agit d'une fortune . . . Vous avez des enfants, Dumoulin; avez-vous le droit de refuser pour eux une chance unique?[4] Consultez Madame Dumoulin avant de prendre une décision . . . Et d'ailleurs, qui vous empêche d'agir comme j'ai fait moi-même et de réserver à des fondations savantes une part de vos profits? Bien[5] mieux, vous pouvez conserver votre chaire, confier l'agence française des psychographes à un directeur que vous choisirez et en qui vous aurez toute confinance, et partager équitablement avec cet homme de votre choix ces profits qui seront assez grands pour deux . . . Mon désir de vous avoir avec nous est tel, Dumoulin, que je m'engage à

représentant (*m*), representative
universitaire (*m*), member of a university
activité (*f*), activity, work
écarter, to dispel, dismiss
approximativement, approximately
agir: s' — de, to be a matter (question) of
fondation (*f*), foundation, institution
engager: s' — à, to take it upon oneself to

1. **dont je conserve quelques remords,** *because of which my conscience still troubles me.* 2. **que je vous dois une réparation,** *that I ought to make amends.* 3. Notice the French word order. 4. **une chance unique,** *an unprecedented piece of luck.* 5. **Bien,** *Even.*

faire accepter par Fork et Drummer toutes les combinaisons que vous suggérerez.

Je ne pus que le remercier et promettre de parler de cette affaire avec Suzanne, ce que je fis dès que je le quittai. Comme je l'avais 5 prévu, elle me conseilla vivement d'accepter. Suzanne aimait l'argent. Non qu'elle fût avide ni dépensière, mais elle sortait d'[1]une famille où l'idée de fortune, devenue depuis la guerre si confuse et chimérique, conservait toute sa valeur. La fortune, dans son milieu,[2] était signe de puissance, de réussite et de dignité. 10 Suzanne imaginait à l'avance avec fierté le moment où elle annoncerait à son père, à ses beaux-frères, ou à son cousin Adrien Lequeux, que son mari venait de gagner quelques millions. Elle me fit valoir les intérêts des enfants, une retraite anticipée,[3] toute liberté pour mes travaux personnels. Enfin, elle défendit si bien 15 sa thèse que j'acceptai, non sans appréhension, de tenter au moins un essai.

Quelques jours plus tard, nous nous embarquâmes, Suzanne et moi, sur le *Paris*. Nous étions heureux de revoir notre pays, nos enfants, mais ce ne fut pas sans émotion que je quittai mes étu- 20 diants et les collègues qui m'avaient, pendant un an, rendu la vie si plaisante et si douce. Suzanne elle-même avait fini par se prendre au charme de Westmouth, et quand le bateau s'éloigna, laissant sur le quai les Spencer, les Philipps, les Macpherson et tant d'autres, elle essuya quelques larmes.

25 Je ne dirai rien de la traversée, qui nous apporta la coutumière

combinaison (*f*), measure; arrangement
dépensi-er, -ère, extravagant
dignité (*f*), dignity
avance: à l' —, in advance
fierté (*f*), pride
faire valoir, to stress, emphasize
essai (*m*): **tenter un —,** to make an attempt
embarquer: s' —, to embark
prendre: se — à, to catch, seize
quai (*m*), wharf

1. **sortait d',** *came from, had been a member of.* 2. **milieu,** *social sphere.* 3. **une retraite anticipée,** *an early retirement.*

alternance de tempêtes et d'accalmies. Au Havre,[1] mes beaux-parents étaient venus nous chercher. Nous devions les accompagner à Rouen pour y reprendre nos enfants. Il avait été convenu, entre Suzanne et moi, que nous ne parlerions pas du psychographe, mais nous n'avions pas encore atteint Bréauté[2] que,[3] malgré mes froncements de sourcils, ma femme décrivait à ses parents l'invention de Hickey, ses surprenantes conséquences, et les offres que j'avais reçues. M. Cauvin-Lequeux écouta cet étrange récit avec horreur.

— Voilà bien,[4] dit-il, à quoi je m'attendais! Non contents d'avoir empoisonné le monde extérieur, ces barbares cherchent maintenant à violer les plus intimes retraites de l'homme . . . Mais rassurez-vous, ils ne le pourront[5] pas . . . Vous avez été tous deux victimes d'une escroquerie . . . Je connais cela . . . Plusieurs fois, au cours de ma carrière, j'ai eu à m'occuper de faux savants qui avaient inventé la pierre philosophale[6] ou le mouvement perpétuel . . . Escroquerie pure et simple! . . . Cela finit par deux ans de prison.

Cette attitude négative m'irrita d'autant plus que Suzanne, loin de me soutenir et alors qu'elle connaissait mieux que personne l'efficacité de l'appareil, passa aussitôt, lâchement, dans le camp de son père. Depuis longtemps je jouissais par avance du vif bonheur que j'éprouverais, me semble-t-il, en revoyant la campagne française, les pommiers dans les clos, les toits d'ardoise et de

alternance (*f*), alternation
tempête (*f*), tempest, storm
accalmie (*f*), lull, calm
froncement (*m*): — de sourcil, scowl
attendre: s' — à, to expect
barbare (*m*), barbarian, savage
escroquerie (*f*), swindle, fraud
lâchement, cowardly
pommier (*m*), apple tree
clos (*m*), field, enclosure
toit (*m*), roof
ardoise (*f*), slate

1. **Le Havre**, port on the English channel, where passengers travelling on boats of the French Line (including the *Paris*) disembark. 2. **Bréauté**, town near Le Havre in Normandy. Maître Hauchecorne, hero of Maupassant's *La Ficelle*, came from this town. 3. **que**, *before*. 4. *exactly*. 5. When **pouvoir** is not followed by an infinitive, the verb **faire** is implied. 6. **pierre philosophale**, *philosopher's stone*, an element, mixture, or solid substance which should have the property of converting baser metals into gold. This was the goal of the alchemists of the Middle Ages.

chaume, les églises au clocher pointu. La voix sarcastique de mon beau-père me gâcha cette joie. «Lire les pensées! répétait-il ... Lire les pensées! ... Grâce à Dieu, j'ai été assez longtemps juge d'instruction pour avoir entendu plus de confidences que votre
5 appareil et pour savoir ce qu'en vaut l'aune[1] ... Fariboles, mon cher! ... Fariboles!»

chaume: **de —**, thatched
clocher (*m*), steeple
pointu, (sharp), pointed
gâcher, to spoil
instruction (*f*), preliminary investigation of a case; **juge d' —**, examining magistrate
aune (*f*) ell (*measure*), yardstick
faribole (*f*), idle story, trifle

1. **et pour savoir ce qu'en vaut l'aune,** *and to know what their merits are.*

CHAPITRE XV

ÉPILOGUE

Mon beau-frère Maxime, qui, sur ma proposition, avait été agréé par Drummer pour diriger l'agence de Paris, s'occupait de la diffusion en France de l'appareil. Ce qu'il m'apprit, après un long intervalle de silence, me surprit beaucoup. Contrairement à ce que j'avais cru, l'appareil de Hickey n'avait eu, dans notre 5 pays, aucun succès. Très vite la presse avait cessé d'en parler, la curiosité s'était épuisée et, dans les catalogues, la place donnée à l'appareil était allée en diminuant jusqu'à n'être plus que[1] celle accordée à des jeux périmés comme le diabolo[2] ou les grâces.[3] Maxime avait, pendant les premiers mois, gagné quelque argent, 10 mais dès la seconde année, il avait dû réduire les frais, louer une partie du magasin et ne garder qu'un personnel restreint. Avec une dactylographe et un vendeur, il assurait maintenant la vie d'une petite affaire qui ne marchait plus qu'au ralenti et ne répondait que trop aisément aux rares demandes reçues. Les 15 bénéfices étaient donc petits, ma propre part minuscule.

Aux États-Unis, me raconta Maxime, le succès avait d'abord paru brillant, mais il avait été de courte durée. Une encyclique pontificale (l'encyclique *Bona conscientia*) avait interdit l'appareil aux catholiques américains qui sont, comme on le sait, nombreux 20 et influents. Parmi le reste de la population, le psychographe

agréer, to accept, approve
épuiser: s' —, to die down, diminish
périmé, out-of-date, antiquated
restreint, restricted, limited
dactylographe (*m. or f*), typist
ralenti: au —, slowly
minuscule, small, meager
durée (*f*), duration
encyclique (*f*), encyclical (letter)
influent, influential

1. **était allée en diminuant jusqu'à n'être plus que,** *had diminished to the point of being no more than.* 2. **diabolo,** a game consisting of a kind of bobbin thrown in the air and caught by a string attached to two sticks. 3. **grâces,** a game in which two players throw to each other a light hoop by means of sticks.

avait vite cessé d'être tenu pour[1] efficace. Les plus intelligents de ceux qui s'en étaient servis, étaient arrivés à conclure,[2] que la «vérité» révélée par l'appareil ne constituait pas une image réelle du contenu d'une pensée.

5 Contre les appareils restés en usage, une résistance efficace des esprits américains s'était organisée. Comme le perfectionnement des moyens d'attaque, dans les armées, entraîne toujours celui des moyens de défense, ainsi pour repousser les assauts du psychographe, les réduits de la conscience avaient été, par ceux qui 10 tenaient à leur vie secrète, mieux fortifiés. Assez vite, les modèles de psychographes, trop bien connus, n'avaient plus trompé personne. En vain Fork et Drummer avaient-ils inventé des formes nouvelles plus compliquées et propres à décevoir; très vite ces formes elles-mêmes avaient à leur tour été «repérées».

15 L'idée que j'avais eue jadis d'un «rosaire psychographique» avait fait fortune. On avait vendu à New York de petites brochures qui disaient à leurs lecteurs à peu près ceci: «Si vous avez des raisons de craindre à votre chevet la présence d'un psychographe, récitez avant de vous endormir et jusqu'à ce que le 20 sommeil vienne, l'un des textes suivants . . .» Suivaient des vers ou des calculs faits pour éloigner de l'esprit toute méditation révélatrice. La méthode avait imposé, aux trop curieux propriétaires d'appareils, de longues et ennuyeuses auditions qui ne leur apprenaient rien sur les sujets de leurs enquêtes. Assez 25 vite, ils s'étaient dégoûtés et avaient mis les psychographes au rancart.

efficace, efficacious, effectual
contenu (*m*), contents
perfectionnement (*m*), perfecting, improvement
entraîner, to involve, entail
assaut (*m*), assault, attack
réduit (*m*), redoubt, enclosed fortification
propre: — **à**, suitable for
"repéré," "spotted"
brochure (*f*), pamphlet
chevet (*m*), bed-side, pillow
calcul (*m*), mathematical problem
révéla-teur, -trice, revealing
dégoûter: **se** —, to become disgusted
rancart: **mettre au** —, to cast aside

1. **tenu pour**, *considered as.* 2. **étaient arrivés à conclure**, *had reached the conclusion.*

Ainsi cette invention, qui, avais-je pensé au temps des premières expériences, devait transformer les rapports entre les hommes, n'avait eu en fait à peu près aucune influence. Elle avait jadis bouleversé, d'ailleurs assez heureusement, mon propre ménage, parce qu'elle l'avait pris par surprise. Mais l'humanité, par ses 5 religions comme par ses philosophies, cherche à maintenir, malgré les inventions qui transforment ses habitudes, une température morale à peu près constante. Contre ce poison nouveau, elle avait vite sécrété les antitoxines convenables.

— Te souviens-tu, me dit Maxime, des grands espoirs de 10 réconciliation politique que nous avions fondés sur ton appareil après l'heureuse expérience que nous en avions faite, toi et moi? . . . Hélas! mon cher, les hommes de notre espèce sont rares . . . Cent fois, j'ai assisté à ceci: par un psychogramme honnêtement enregistré, je prouvais à tel partisan fanatique que l'un de ses 15 adversaires était, malgré ses opinions, un citoyen loyal et qui aimait de tout cœur son pays. Le premier effet était de surprise incrédule; suivait[1] un temps assez long de silence, de malaise et de mécontentement; puis l'orage éclatait et j'étais accusé de dissocier le parti (quel qu'il fût[2]) par une propagande malsaine . . . La vé- 20 rité, vois-tu, c'est que les hommes tiennent à ce qui les divise et que celui qui les en prive est tenu par eux pour un ennemi . . . Et qui sait? Peut-être ont-ils raison; peut-être seules les convictions fortes, déraisonnables et têtues engendrent-elles les actions efficaces . . . Quoi qu'il en soit,[3] n'ayant pas la vocation du martyre, 25 j'ai vite renoncé à ce rôle, trop ingrat, de conciliateur . . . Et notre malheureux appareil a enregistré un échec de plus.

rapport (*m*), relation, relationship
sécréter, to secrete (of glands)
convenable, suitable
citoyen (*m*), citizen
malaise (*m*), uneasiness, restlesness
dissocier, to break up
déraisonnable, unreasonable
têtu, headstrong, wilful, obstinate
martyre (*m*), martyrdom
ingrat, ungrateful, thankless, unpleasant
échec (*m*), check, loss, failure

1. **suivait = il suivait,** *there followed.* 2. **quel qu'il fût,** *whatever it was.* 3. **Quoi qu' il en soit,** *However this may be.*

Ainsi, tout, en cette aventure que j'avais crue si grande, était devenu petit, médiocre. Au moment où j'écris ces lignes, les dernières de mon récit, plus de dix années se sont écoulées depuis la découverte du psychographe. Qui s'en souvient aujourd'hui? Quel-
5 quefois, au cours d'une viste chez un collègue de Sorbonne, il m'arrive d'[1]entrevoir, oublié sur une cheminée ou jeté dans un coin parmi des jouets à demi cassés, un de nos vieux appareils, et de penser[2] alors à ce grand Swift[3] qui, ayant donné aux hommes, en ses *Voyages de Gulliver*, la satire la plus dure de leur méchanceté
10 et de leur sottise, ne pourrait plus aujourd'hui trouver son terrible livre que dans les bibliothèques de nos enfants.

Chaque année, nous recevons des Hickey, vers la fin de décembre, une carte de Noël. Jusqu'alors, ces cartes n'avaient porté que les vœux les plus simples, rédigés par Gertrude Hickey. Cette an-
15 née, pour la première fois, j'ai reconnu l'écriture minuscule de notre ami et, après de longs efforts, j'ai pu lire à peu près ceci: *«Le discours intérieur n'est pas plus vrai que le discours public; celui-ci nous protège des autres et celui-là de nous-mêmes.»*

J'ai tendu à Suzanne la carte qui représentait Westmouth un
20 jour de grand match, paré de drapeaux multicolores.

— Tiens, lui ai-je dit; voici une carte qui nous arrive d'Amérique et où notre physicien devient philosophe . . .

Ma femme a pris la carte, l'a regardée négligemment, puis, sans en déchiffrer le texte, me l'a rendue:

écouler: s' —, to elapse, pass
cheminée (*f*), mantelpiece
jouet (*m*), toy, plaything
méchanceté (*f*), wickedness
sottise (*f*), foolishness, stupidity
bibliothèque (*f*), book-case
Noël: carte de —, Christmas card
rédigé, worded
écriture (*f*), handwriting
drapeau (*m*), flag, pennant
déchiffrer, to decipher

1. **il m'arrive d'**, *I happen to.* 2. **de penser,** *I think.* 3. **Swift** (1667–1745), an outstanding English satirist, celebrated for his *Gulliver's Travels* and *Tale of a Tub.*

— Cet homme m'a toujours ennuyée, a-t-elle dit . . . Et que de bruit il a fait pour rien.[1]

Pour rien? Au moment où Suzanne le prononça, le mot me parut injuste et dur. Mais peut-être avait-elle raison.

bruit (*m*), commotion; fuss; **beaucoup de — pour rien,** much ado about nothing; **faire beaucoup de — de,** to make a great to-do (fuss) about something

1. **Et que de bruit il a fait pour rien.** *And with him there was much ado about nothing.*

QUESTIONNAIRE

Chapitre I

1. Quelle est la profession du narrateur?
2. Sur quel sujet a-t-il écrit sa thèse?
3. A quelle tentation a-t-il résisté?
4. Pourquoi ne peut-on pas nommer ce récit une oeuvre d'imagination?
5. Où demeure le narrateur?
6. Dans quelle ville de France Suzanne est-elle née?
7. Pourquoi l'auteur n'aime-t-il pas les maris de ses belles-soeurs?
8. Quelle est l'importance de la rue de Fontenelle?
9. Pourquoi Suzanne veille-t-elle jalousement sur la propriété de son père?
10. Nommez les trois sujets de désaccord entre le narrateur et "la rue de Fontenelle."
11. Expliquez les différences politiques entre la famille du narrateur et celle de sa femme.
12. Pourquoi les Français étaient-ils réconciliés au temps du mariage du narrateur et de Suzanne?
13. Qu'est-ce qui est arrivé après les élections de 1924?
14. Pourquoi le narrateur était-il content de déménager à Caen?
15. Pourquoi Suzanne doit-elle, de temps en temps, retourner à Rouen?
16. Que faisait le narrateur un jour d'avril 1925?
17. Qui demandait à le voir?
18. Pourquoi M. Spencer a-t-il rendu visite au narrateur?
19. Quel traitement M. Spencer offre-t-il au narrateur pour enseigner à l'Université de Westmouth pendant un terme?
20. Comment le narrateur s'appelle-t-il?
21. Quels seraient les devoirs de Dumoulin à l'université américaine?

22. Qui est le professeur Macpherson? Dumoulin le connaît-il?
23. Pourquoi Dumoulin hésite-t-il à venir à Westmouth?
24. Que font les Spencer pendant leurs vacances?
25. Pourquoi Dumoulin ne veut-il pas mettre ses enfants en pension chez ses beaux-parents?
26. Pourquoi est-il obligé de conserver sa maison de Caen?
27. Que pense M. Cauvin-Lequeux de l'Amerique et des ses habitants?

Chapitre II

1. Qu'est-ce que Dumoulin s'attendait à voir aux États-Unis?
2. A quoi la ville de Westmouth ressemble-t-elle?
3. Pourquoi a-t-on fondé la ville de Westmouth?
4. Décrivez le "campus."
5. Dans quel style d'architecture les bâtiments du collège étaient-ils bâtis?
6. Pourquoi a-t-on nommé l'amphithéâtre où Dumoulin faisait son cours Higgins 65?
7. Que savez-vous de Higgins?
8. Quel trait des universités américaines choque Dumoulin?
9. Comment Westmouth reçoit-il l'argent pour se maintenir?
10. Qui contrôle les finances de l'université?
11. Qu'est-ce que le vieux Scripps a imposé à Westmouth?
12. Que pense Dumoulin de la place donnée aux sports à Westmouth?
13. Pourquoi les anciens élèves sont-ils souvent irrités?
14. Quel homme est mieux payé que Dumoulin à Westmouth?
15. Pourquoi y a-t-il peu d'automobiles dans les rues de Westmouth?
16. Pourquoi M. Cauvin-Lequeux avait-il tort de menacer Dumoulin de "gangsters"?
17. Pourquoi l'autorité du président Spencer ne ressemble-t-elle pas à celle d'un recteur français?
18. Comment le pouvoir de Spencer est-il à peu près absolu?
19. D'après Dumoulin, quel rôle joue Mrs Spencer dans ce monde universitaire?

20. De quelle maniere la tyrannie de Mrs Spencer se manifeste-t-elle a Suzanne?
21. Combien de fois Suzanne doit-elle donner un thé? Quel jour?
22. Pourquoi Mrs Spencer a-t-elle d'abord effrayé Suzanne?
23. Mrs Spencer passe pour une dame gracieuse. Précisez.

Chapitre III

1. A quoi la maison des Dumoulin ressemble-t-elle?
2. Quelle maladie Dumoulin a-t-il observée en beaucoup de jeunes Américains?
3. Pourquoi les étudiants s'affilient-ils à un club forestier?
4. Qui s'habille à la Shelley?
5. Quelle question Mr Bamann pose-t-il à Dumoulin?
6. D'après Bamann, quelle est la langue musicale par excellence?
7. Quel est le métier du professeur Macpherson?
8. A quoi consacre-t-il sa vie?
9. Que font ses auxiliaires en France?
10. Pourquoi Macpherson s'intéresse-t-il à Suzanne?
11. Quelle est la prononciation normande du mot "chat"?
12. Pourquoi Macpherson commence-t-il à mépriser Suzanne?
13. Pourquoi Hickey est-il une des gloires de l'université?
14. Pour quelles recherches lui a-t-on donné le prix Nobel?
15. Quel est le pays natal de Hickey?
16. Qu'est-ce que la faculté donne à Hickey?
17. De quelle façon Dumoulin a-t-il aidé Hickey?
18. Pourquoi Dumoulin est-il un peu embarrassé en traduisant le mémoire français?
19. Qu'est-ce que Hickey cherche, la traduction du mémoire finie?
20. Pourquoi Dumoulin se truve-t-il dans un grand embarras?
21. D'où vient le whisky de Hickey?
22. A quelle expérience de physique Hickey travaille-t-il?
23. Quelle croyance de Hickey ressemble à celle des alchimistes du moyen-âge?
24. Est-ce que Hickey croit qu'il fera naître de petits hommes dans son laboratoire?

25. Quelle idée de Dumoulin est assez naïve?
26. Quelles observations un Siriate ferait-il, s'il étudiait à l'ultra-télescope la ville de Londres?
27. Pourquoi Dumoulin accepte-t-il encore un verre de whisky?
28. De quoi Hickey et Dumoulin en arrivent-ils à parler?
29. Pourquoi Suzanne est-elle triste?
30. De quels sujets Suzanne parle-t-elle à son mari jusqu'à trois heures du matin?

Chapitre IV

1. Pourquoi les Dumoulin sont-ils un peu étonnés de se trouver seuls au dîner des Hickey?
2. Quelle mode anglaise Mrs Hickey suit-elle?
3. Quelle question personnelle Hickey pose-t-il à Dumoulin?
4. Pourquoi Dumoulin est-il étonné de cette question?
5. Quelles pensées secrètes de Dumoulin Hickey a-t-il apprises?
6. Qu'est-ce qui pourrait arranger bien des choses dans la vie de Dumoulin?
7. Pourquoi Hickey s'excuse-t-il?
8. Pourquoi Dumoulin peut-il être certain que ses pensées seront rayées de l'esprit de Hickey?
9. Pourquoi Dumoulin n'est-il plus irrité contre Hickey?
10. Prouvez que Hickey attache peu d'importance à ces expériences avec Dumoulin.
11. Sur quel sujet Hickey a-t-il fait beaucoup d'hypothèses?
12. A quel événement de son passé Dumoulin pense-t-il?
13. De quelle façon voit-il les images qui se rapportent à cet événement?
14. Pourquoi ne pourrait-il pas dessiner le visage du capitaine?
15. Où est exactement l'image du capitaine?
16. En pensant aux États-Unis et à la France, Dumoulin, que voit-il?
17. Qu'est-ce qui se mêle aux images?
18. Pourquoi les phrases intérieures de Dumoulin sont-elles plus nettes que ses images?

19. Pourquoi Hickey exige-t-il que Dumoulin ne parle de ces expériences à personne?
20. De quelle manière la pensée peut-elle être captée?
21. Qu'est-ce que les physiologistes ont remarqué il y a longtemps?
22. Qu'est-ce que le professeur Berger a étudié?
23. Qu'est-ce que Hickey espère faire?
24. Pourquoi n'a-t-il pas réussi?
25. Qui s'est prêté avec patience aux expériences de Hickey?
26. Prouvez que le langage intérieur de l'homme est un phénomène physique.
27. Quand on pense, est-ce qu'on prononce des mots?
28. Pourquoi les mouvements des organes vocaux sont-ils très importants?
29. A quelle phrase Dumoulin pense-t-il?
30. En pensant à cette phrase, il l'entend aussi. Où l'entend-il?
31. Où les mots et les notes pensés se trouvent-ils formés?
32. Pourquoi a-t-on inventé le laryngographe?
33. Décrivez comment, à l'aide de cet instrument, on peut enregistrer les pensées.
34. Comment Hickey a-t-il perfectionné le laryngographe?
35. Où se trouvent les microphones cachés?
36. Pourquoi Dumoulin a-t-il peur quand il entre dans le salon?

Chapitre V

1. Pourquoi les Dumoulin étaient-ils devenus plus intimes avec les Hickey?
2. Qu'est-ce que Dumoulin fait souvent le soir?
3. Pourquoi Dumoulin ne s'entend-il pas bien avec sa femme?
4. Pourquoi Suzanne a-t-elle pris Westmouth en grippe?
5. Quelle est la maladie de Suzanne?
6. Que font les dames de la faculté pour guérir cette maladie?
7. Quelle faute Dumoulin se reproche-t-il?
8. Donnez les raisons pour lesquelles Dumoulin goûte bien son séjour à Westmouth.

9. Le président Spencer qu'a-t-il offert à Dumoulin?
10. Que savez-vous de la vie domestique des Dumoulin?
11. Quel a été le grand défaut de la machine à lire les pensées?
12. Pourquoi l'appareil n'est-il pas toujours utilisable?
13. Quelles sont les qualités essentielles du nouvel instrument?
14. Qu'y a-t-il sur la table?
15. Qu'y a-t-il sous le rouleau de papier?
16. Qu'est-ce qui fait tourner le tambour?
17. Quelle est l'importance de ce tambour?
18. Qu'est-ce que Hickey cherche à éliminer?
19. Comment peut-on mettre le tambour en mouvement?
20. Qu'est-ce qu'il faut faire pour arrêter la prise de son?
21. Pourquoi Hickey croit-il que la machine puisse être utile à Dumoulin?
22. Comment Dumoulin pourra-t-il lire la pellicule enregistrée?
23. Quelle est la meilleure distance de prise?
24. Que fait Hickey avant de donner le tromblon à Dumoulin?

Chapitre VI

1. En rentrant chez lui, quelle question Dumoulin se pose-t-il?
2. Quelle est sa réponse? Pourquoi?
3. Comment Suzanne le reçoit-elle?
4. Que pense-t-elle de Hickey?
5. Qu'est-ce qui a interrompu leur conversation?
6. Quelle résolution Dumoulin a-t-il prise?
7. Quel est le sujet de leur querelle?
8. Qu'est-ce que Jérôme et Henriette convoitent?
9. Selon Suzanne, pourquoi son mari est-il content d'être en Amérique?
10. Pourquoi a-t-il mis en marche l'appareil psychographique?
11. Qu'est-ce que Suzanne faisait?
12. Où Dumoulin a-t-il caché l'appareil avant de se coucher?
13. Quand a-t-il apporté la pellicule à Hickey?
14. Pourquoi est-ce Darnley au lieu de Hickey, qui traduit en sons le psychogramme de Dumoulin?

15. Pourquoi Dumoulin craint-il de nouveaux reproches de sa femme?
16. Quel est le premier son que Dumoulin a entendu?
17. De quoi le psychogramme de Suzanne était-il composé?
18. Suzanne a-t-elle aimé la traversée?
19. Que pense-t-elle des hommes américains?
20. Quelles sont ses craintes à propos de son père?
21. Pourquoi Denis admire-t-il Henriette?
22. Quels sont les sentiments de Suzanne envers Henriette?
23. Qui est-ce qui aurait peut-être rendu Suzanne plus heureuse?
24. En quoi Adrien est-il préférable à Denis?
25. Que pense Denis d'Adrien?
26. Pourquoi ne veut-il pas rencontrer Hickey, en sortant de la cave?

CHAPITRE VII

1. Avant de rentrer chez lui, où Dumoulin est-il allé?
2. Qu'est-ce qu'il s'est décidé à faire?
3. Qu'avait-il oublié?
4. Quand est-ce qu'on n'est pas maître du tour que prend une conversation?
5. A quoi Suzanne attribue-t-elle le retard de son mari?
6. Comment la querelle commence-t-elle?
7. Que dit Suzanne au sujet de l'emploi du psychographe?
8. A propos de quoi avait-elle pensé à Adrien?
9. Comment la querelle a-t-elle fini?
10. Quel reproche Suzanne fait-elle à son mari?
11. Pourquoi Denis bénissait-il le psychographe?

CHAPITRE VIII

1. Quelles moeurs les Dumoulin ont-ils trouvées à Westmouth?
2. Quels étaient les auteurs favoris des radicaux de Westmouth?
3. Où passaient-ils leurs vacances?
4. Lequel des deux groupes était le plus nombreux?

5. D'après le jeune Clinton, pourquoi violaient-ils la loi de prohibition?
6. Comment la génération plus ancienne observait-elle la loi de prohibition?
7. Aux réunions de quel club les Dumoulin assistaient-ils de temps en temps?
8. Que faisaient-ils de leurs cocktails?
9. Comment le professeur Dumoulin a-t-il trouvé les femmes américaines?
10. Qui était Muriel Wilton?
11. En quoi différait-elle des autres femmes que Dumoulin connaissait?
12. Comment avait-elle obtenu l'autorisation de suivre son cours?
13. En l'honneur de qui Clinton donne-t-il un "cocktail-party"?
14. Quelle espèce de boisson sert-il?
15. Quel est le seul souvenir précis que Dumoulin conserve de cette soirée?
16. A quelle heure est-il rentré chez lui?

Chapitre IX

1. Comment Dumoulin se sent-il le lendemain matin?
2. Pourquoi ne rentre-t-il pas chez lui pour déjeuner?
3. Quelle émotion a-t-il éprouvée ce matin-là?
4. Quel a été son seul regret?
5. De quoi a-t-on parlé pendant le déjeuner?
6. Qu'est-ce qui étonne Dumoulin quand il rentre à la maison?
7. Quel travail avait-il à faire?
8. A quoi attribue-t-il la mauvaise humeur de Suzanne?
9. Qu'y a-t-il dans son ton qui le surprend?
10. Quelle idée lui traverse tout d'un coup l'esprit?
11. Comment Suzanne a-t-elle obtenu le psychographe?
12. Dans quoi a-t-elle enveloppé l'appareil?
13. Quels projets a-t-elle appris?
14. Les avait-il pris au sérieux?

15. Qui a fait marcher pour Suzanne le haut-parleur?
16. Que compte-t-elle faire?
17. Comment cette querelle finit-elle?

Chapitre X

1. L'influence du psychographe sur le ménage Dumoulin a-t-elle été bonne ou mauvaise? Précisez.
2. Qu'est-ce qu'ils se sont juré?
3. Quelle découverte ont-ils faite?
4. Comment Dumoulin a-t-il pu empêcher ses pensées de prendre des chemins dangereux?
5. Pourquoi en veut-il à Hickey?
6. Comment celui-ci répond-il aux reproches de Dumoulin?
7. Pourquoi avait-il choisi les Dumoulin pour son expérience?
8. Qu'est-ce qui apporte à Dumoulin un vif soulagement?
9. Quelles émotions a-t-il éprouvées en écoutant son propre psychogramme?
10. Qu'-a-t-il fait de la pellicule?
11. Est-ce que Hickey va prouver l'utilité pratique du psychographe?

Chapitre XI

1. Pourquoi le président Spencer a-t-il l'intention de prendre sa retraite?
2. Comment compte-t-il passer son temps?
3. Quels dangers menacent, d'après Hickey, l'enseignement supérieur aux États-Unis?
4. Quels cours Hickey trouve-t-il absurdes?
5. Où doit-on enseigner de tels sujets?
6. Quel est le résultat des efforts du président Spencer à Westmouth?
7. Quelle concession a-t-il dû faire aux "trustees"?
8. Racontez l'histoire de Kettlefish.
9. Comment Caïus Mitchell avait-il gagné son argent?

10. Quelle idée fantastique a-t-il eue?
11. Pourquoi les "trustees" se sont-ils fâchés?
12. Qu'est-ce que Kettlefish est devenu?
13. Quel homme Hickey croit-il capable de succéder à Spencer?
14. Quel candidat trouve-t-il peu désirable?
15. Qu'est-ce que Dumoulin pense de lui?
16. Quels cours fait-il?
17. Quel talent indiscutable a-t-il?
18. Quelle méthode adroite a-t-il trouvée pour flatter les hommes d'affaires?
19. Quelle critique fait-il du président et de la faculté?
20. Décrivez Mrs Philipps.
21. Qui a fait d'elle le personnage central d'un roman?
22. Comment a-t-on pu l'empêcher de le savoir?
23. Comment Windbag pourrait-il profiter de ses petits ridicules?
24. Qui Dumoulin rencontre-t-il dans le vestibule?

Chapitre XII

1. Qu'est-ce que Dumoulin pense en voyant Windbag entrer chez Hickey?
2. A-t-il raison?
3. Comment Hickey a-t-il pu psychographier Windbag?
4. Comment le psychogramme commence-t-il?
5. Quel est le plan de Windbag pour se débarrasser de son concurrent le plus dangereux?
6. Comment va-t-il faire croire aux "trustees" que le doyen Philipps manque d'autorité?
7. Sur quelle question Hickey et sa femme sont-ils en désaccord?
8. Pourquoi Mrs Hickey ne veut-elle pas prévenir Mrs Philipps?
9. Pourquoi Hickey hésite-t-il à exposer l'affaire au président Spencer?
10. Quel est l'avis de Dumoulin?
11. A quelle condition Hickey consent-il à parler de l'affaire au président?

12. Pour quand demanderaient-ils un rendez-vous avec le président?
13. Comment celui-ci accueille-t-il les révélations de Hickey?
14. Qu'est-ce qu'il exige de la part de Hickey?
15. Avant d'agir, qui veut-il consulter?
16. Comment Mrs Spencer sait-elle que le thé de Mme Dumoulin a été très réussi?
17. Comment le président Spencer a-t-il résolu le problème de l'élection de Philipps?
18. Combien de voix Philipps a-t-il reçues?
19. Que fait Windbag quand il apprend la nouvelle?
20. Combien de personnes savaient que l'élection était due au psychographe?
21. Est-ce que cette affaire a fait connaître l'appareil au public?

Chapitre XIII

1. D'après Dumoulin, à quoi ressemble le football américain?
2. Quelles pratiques ont été condamnées par les principales universités?
3. Quelles formes de football sont connues en France?
4. Comment ces deux jeux diffèrent-ils du football américain?
5. Comment l'équipe américaine s'y prend-elle pour avancer avec la balle?
6. Comment annonce-t-on un "play"?
   Comment en assure-t-on le secret?
7. Quels sont les deux rôles de Darnley?
8. De quel match s'agit-il?
9. Quelle équipe était la meilleure?
10. Quel a été le résultat du match?
11. Pourquoi Hickey décide-t-il de faire une enquête?
12. Que découvre-t-il?
13. Quel parti le président Spencer prend-il?
14. Comment Lincoln Avenue change-t-elle d'aspect à la suite de cet épisode?

15. De quoi Ladislas Kogacz était-il accusé?
16. Quelle était sa profession?
17. Pourquoi ne l'avait-on pas exécuté tout de suite?
18. Pourquoi Hickey hésitait-il à prêter un psychographe aux autorités de la prison?
19. Qu'en pense Dumoulin? Et les deux femmes?
20. Qu'est-ce que Hickey décide de faire?
21. Qu'est-ce que le psychogramme a révélé?
22. Qu'est-ce que Kogacz est devenu?
23. A quoi Hickey est-il désormais condamné?

Chapitre XIV

1. Pourquoi les hommes d'affaires américains s'intéressent-ils au psychographe?
2. Pourquoi Hickey a-t-il hésité à accepter leurs offres?
3. Quelle est la rétribution convenable des travaux d'un savant?
4. Qu'est-ce que Lord Kelvin a fait en Amérique?
5. Pourquoi Suzanne a-t-elle conseillé à Hickey de ne pas mettre son invention dans le domaine public?
6. Qu'est-ce que Hickey pourrait faire de ses gains?
7. Qui était Edward Fork?
8. Pourquoi Dumoulin est il étonné que Fork soit hésitant et bavard?
9. Quelle histoire Fork raconte-t-il à tout propos?
10. Qu'est-ce que Fork a fait reconstituer à Baltimore?
11. Qu'est-ce que Fork offre à Hickey?
12. Qu'est-ce que Hickey va recevoir en paiement de ses apports?
13. Quel est le prix de revient d'un des psychographes construits par les préparateurs de Hickey?
14. Comment peut-on abaisser le prix des psychographes?
15. Au début, pourquoi pourra-t-on vendre le psychographe à n'importe quel prix?
16. Pourquoi Fork a-t-il envoyé Drummer chez Hickey à Westmouth?

17. Que pense Drummer du public?
18. A quels sentiments fait-il appel?
19. Pourquoi préfère-t-il le nom Psiki à psychographe?
20. Comment Drummer espère-t-il faire de la publicité au psychographe?
21. Comment se sert-il des idées de Freud?
22. Pourquoi n'aime-t-il pas la citation de Dumoulin?
23. De quelle façon compte-t-il montrer l'efficacité du psychographe?
24. Qui a écrit les attestations? Pour quelles raisons?
25. De quelle façon Drummer va-t-il vendre beaucoup de ces appareils?
26. Pourquoi une femme ne pourra-t-elle pas résister longtemps à un bon vendeur de psychographes?
27. Quels modèles du psychographe Drummer fera-t-il dessiner?
28. Quelle est la valeur particulière du "Secret-Service"?
29. Qu'est-ce qui est arrivé au printemps de 1926?
30. Comment le psychographe a-t-il exercé une influence assez heureuse sur le ménage de Dumoulin?
31. Pourquoi Suzanne a-t-elle consenti à prolonger son séjour à Westmouth?
32. Qu'est-ce que les marchands ont pensé du psychographe?
33. Citez un "slogan" de Drummer, trouvé dans les pharmacies américaines.
34. Quelle proposition Hickey fait-il à Dumoulin?
35. Pourquoi Dumoulin croit-il ne pas pouvoir accepter la proposition?
36. Pourquoi Hickey estime-t-il qu'il doive à Dumoulin une réparation?
37. Pourquoi Dumoulin n'a-t-il pas le droit de refuser la proposition de son ami?
38. S'il accepte cette proposition, pourquoi ne lui sera-t-il pas nécessaire d'abandonner sa chaire de faculté?
39. Avec qui a-t-il parlé de cette affaire?
40. Pourquoi Suzanne lui conseille-t-elle d'accepter?

41. Pourquoi Suzanne espère-t-elle que son mari gagnera quelques millions?
42. Décrivez les sentiments des Dumoulin au moment de leur départ des États-Unis.
43. Qui est vener les chercher au Havre?
44. De quoi Suzanne parle-t-elle peu après?
45. Qu'est-ce que M. Cauvin-Lequeux pense du récit de sa fille?
46. Pourquoi croit-il pouvoir reconnaître une escroquerie?

Épilogue

1. Quelle situation Dumoulin obtient-il pour son beau-frère?
2. Quel a été le succès du psychographe en France?
3. Qu'est-ce que Maxime a dû faire dès la seconde année?
4. Pourquoi peut-on dire que le personnel de l'agence de Paris était fort restreint?
5. Pourquoi le succès du psychographe aux États-Unis avait-il été de courte durée?
6. Pourquoi les appareils restés en usage n'avaient-ils pas été très efficaces?
7. Qu'est-ce que Fork et Drummer avaient vainement essayé de faire pour tromper le public?
8. Quelle idée de Dumoulin avait fait fortune?
9. Décrivez un "rosaire psychographique."
10. Comment s'en était-on servi?
11. Pourquoi les propriétaires d'appareils avaient-ils mis les psychographes au rancart?
12. Pourquoi le psychographe n'a-t-il pas eu de succès en France?
13. Où Dumoulin a-t-il entrevu des appareils dix ans après la découverte du psychographe?
14. Pourquoi pense-t-il à Swift quand il voit ces appareils oubliés?
15. De qui les Dumoulin reçoivent-ils, chaque année, une carte de Noël?
16. Pourquoi Dumoulin dit-il à sa femme que Hickey est devenu philosophe?

17. La dernière carte de Noël des Hickey, que représente-t-elle?
18. Que pensez-vous de l'affirmation de Suzanne que Hickey a fait beaucoup de bruit pour rien?
19. Que pensez-vous d'une invention pareille?
20. Comment vous serviriez-vous d'un tel appareil? à la maison? à l'école? parmi vos amis?
21. Discutez les implications morales de l'emploi d'une telle invention.

VOCABULARY

A word preceded by an asterisk (*) indicates that it belongs to one of the 2000 most frequently occurring items of the various French frequency studies, and should therefore be a part of the student's basic vocabulary. In words preceded by an apostrophe ('), the initial *h* is aspirate. The following abbreviations have been used:

adj.	adjective	*naut.*	nautical
adv.	adverb	*neg.*	negative
conj.	conjunction	*p.p.*	past participle
f.	feminine	*pl.*	plural
m.	masculine	*prep.*	preposition
mil.	military	*pron.*	pronoun

VOCABULARY

A

***à**, to, at, in, on, by, for, with
***abaisser**, to reduce, lower
***abandonner**, to abandon, forsake; **s'— à**, to give oneself up to, give way to, yield
***abattre**, to knock down, cut down; **s'—**, to fall, burst
***abbaye**, *f.* abbey, monastery for men or women
abominable, abominable
***abord**, *m.* approach, access; **d'—**, at first, first of all, originally; **dès le premier —**, from the very first
***aborder**, to approach, accost, touch (on)
***abri**, *m.* shelter
***absence**, *f.* absence, lack
***absolu**, absolute
abstenir: s'— de, to abstain, refrain from
abstrait, abstract
absurde, absurd, silly
académique, academic, university
acariâtre, contrary, quarrelsome, irritable
accalmie, *f.* lull, calm (*naut.*)
***accent**, *m.* accent, tone
acceptation, *f.* acceptance
***accepter**, to accept, take; **— de**, to agree
***accident**, *m.* accident
acclimater, to acclimate
***accompagner**, to accompany, go with; **s'— de**, to be accompanied by
***accord**, *m.* agreement; **être d'—**, to agree
***accorder**, to grant, give
accoutumer: s'— à, to become accustomed to, get used to
***accrocher**, to hook on, hang up, catch, cling to
accueil, *m.* reception, welcome
***accueillir**, to welcome, receive
accusation, *f.* accusation, prosecution
accusé, *m.* accused, prisoner
***accuser**, to accuse, charge
acerbe, harsh, bitter
achat, *m.* purchase; **faire des —s**, to go shopping
***acheter**, to buy
acheteur, *m.* buyer
***achever**, to finish
***acquérir**, to acquire, get
acquitter: s'— de, to fulfill, carry out, fill
***acte**, *m.* act, deed
***action**, *f.* action, deed, act
activité, *f.* activity, energy, work
actrice, *f.* actress
adaptation, *f.* adaptation
***admettre**, to admit, grant
administrateur, *m.* administrator
administrati -f, -ve, administrative
***administration**, *f.* administration
***admirable**, admirable, wonderful, excellent
admirablement, admirably
***admiration**, *f.* admiration
***admirer**, to admire, wonder at
adolescence, *f.* adolescence, youth
adolescent, *m.* youth
***adopter**, to adopt
adorer, to adore, worship
adoucir, to soften; **s'—**, to become gentle
***adresse**, *f.* skill
***adresser**, to address, direct
adroit, clever
adroitement, cleverly, adroitly, skilfully

aduler, to adulate, flatter
advenir, to occur, happen
***adversaire**, *m.* opponent
adverse, opposite, contrary
aérien, -ne, aerial
affable, affable, friendly
***affaire**, *f.* affair, business, matter; *pl.* business; **homme d'—s**, business man
***affection**, *f.* affection
affectueusement, affectionately, tenderly
affectueu-x, -se, affectionate, tender
affilier: s'— à, to be associated with, be a member of, join
affranchir, to free, release, deliver
***affreu-x, -se**, frightful, horrible
affronter, to face, confront; **s'—**, to come face to face
***afin: — de**, in order to, so as to; **— que**, in order that, so that
***âge**, *m.* age; **au moyen —**, in the Middle Ages; **— du lycée**, high-school age
agence, *f.* agency, business bureau
***agent**, *m.* agent
***agir**, to act, operate; **s'— de**, to be a question of, concern
agiter, to excite; **s'—**, to get excited
***agréable**, agreeable, pleasant, nice
agréer, to accept, approve
agrégation, *f.* agregation (competitive examination for admission to teaching positions usually in the lycées and universities)
agricole, agricultural
***aide**, *f.* aid, help; **à l'— de**, with the help of, by means of
***aider**, to aid, help
aigreur, *f.* sharpness, bitterness, harshness
***ailleurs**, elsewhere; **d'—**, besides, moreover
***aimable**, pleasant, nice
***aimer**, to love, like
***ainsi**, so, thus; **— que**, just as, as well as
***air**, *m.* air, appearance, manner, look; **avoir l'—**, to look, seem; **d'un —**, with a look
***aise**, glad, pleased; *f.* ease; **à l'—**, at ease
aisé, easy
aisément, easily
***ajouter**, to add
alchimiste, *m.* alchemist
alcool, *m.* alcohol
alerter, to warn, give the alarm
aliéné, *m.* lunatic, madman
allée, *f.* walk, path, lane
allégresse, *f.* gaiety, joy
***aller**, to go; **cela va de soi**, that goes without saying; **allez, allez**, well, well
***allumer**, to light, kindle
***allure**, *f.* walk, gait, bearing, manner, appearance
allusion, *f.* allusion
***alors**, then, at that time; **— que**, (at a time) when
alsacien, -ne, Alsatian
alternance, *f.* alternation, rotation
alterné, alternate, alternating
amant, *m.* lover
ambassade, *f.* embassy
***ambition**, *f.* ambition
***âme**, *f.* soul, heart, mind
***amener**, to lead, bring in (on, up, over, about), persuade, induce, cause, occasion
***am-er, -ère**, bitter
amèrement, bitterly
***américain**, American; *m.* American
Amérique, *f.* America, U. S. A.
amertume, *f.* bitterness, affliction, grief
***ami**, *m.* friend
amical (*pl.* **-aux**), friendly
amicalement, in a friendly way
***amitié**, *f.* friendship
***amour**, *m.* love

amphithéâtre, *m.* amphitheatre, circular room
amplifier, to amplify, enlarge
amusement, *m.* amusement
***amuser,** to amuse, entertain
***an,** *m.* year
analogue, analogous, similar
ancestral (*pl.* **-aux**), of one's ancestors
ancêtre, *m.* ancestor
***ancien, -ne,** ancient, old, former
***anglais,** English; **Anglaise,** *f.* English woman
Angleterre, *f.* England
***angoisse,** *f.* anguish, agony, uneasiness
***animal,** *m.* (*pl.* **-aux**), animal
animation, *f.* animation, vitality, liveliness
***animer,** to animate, enliven
***année,** *f.* year
***annoncer,** to announce, indicate
anticipé, anticipated, early
antique, antique, ancient
antitoxine, *m.* antitoxin
***apercevoir,** to perceive, see, notice; **s'— de,** to notice, be aware of
***apparaître,** to appear, seem
***appareil,** *m.* apparatus, machine,set
***apparence,** *f.* appearance, look
apparent, apparent, visible
apparenter, to connect by marriage
***appartenir,** to belong
***appel,** *m.*: **faire l'— nominal,** to call the roll; **faire — à,** to appeal to
***appeler,** to call; **s'—,** to be named
***applaudir,** to applaud
***appliquer,** to apply
apport, *m.* contribution (a shareholder's contribution to the assets of a company)
***apporter,** to carry, bring along, bring
***apprécier,** to appreciate
appréhension, *f.* apprehension
***apprendre,** to learn, teach, inform
***approcher,** to approach, draw near; **s'— de,** to approach, draw near
***approuver,** to approve
approximativement, approximately
***appuyer,** to support, press
***après,** after; *adv.* afterwards
***après-midi,** *m. or f.* afternoon
aptitude, *f.* aptitude
***arbre,** *m.* tree
archaïque, archaic
architecte, *m.* architect
***ardent,** ardent, fervent, burning
***ardeur,** *f.* ardor, fervor, eagerness
ardoise, *f.* slate
***argent,** *m.* money, silver
aristophanesque, in the manner of Aristophanes, comic
armé, equipped
***armée,** *f.* army
***armer,** to arm
***arracher (à),** to snatch (from) tear (from), tear away; **s'— (à),** to pull away (from)
arrangement, *m.* arrangement
***arranger,** to arrange, fix, settle
***arrêter,** to arrest, stop; **s'—,** to stop
arrière: en — de, in back of
arrière-cousin, *m.* distant-cousin
arrière-plan, *m.* background
***arrivée,** *f.* arrival
***arriver,** to arrive, happen; **— à,** to succeed in; **en — à,** to decide, be led to, arrive at the point of
***art,** *m.* art, skill, artifice
***article,** *m.* article, subject
articuler, to articulate, reply
artificiel, -le, artificial
artisan, *m.* artisan, craftsman, mechanic
***artiste,** *m. or f.* artist
as, *m.* ace
***aspect,** *m.* aspect, appearance, sight, look
assaillant, *m.* attacking, on the offensive; *m.* assailant, attacker
assassin, *m.* assassin, murderer
assassiner, to murder, kill

assaut, *m.* assault, attack
assemblée, *f.* assembly, gathering
*asseoir, to seat; faire —, to seat (someone); s'—, to sit down
*assez, enough, rather, quite
assidu, diligent, attentive, assiduous
assiégé, besieged
assis, seated
assistant, *m.* assistant, a person present
*assister (à), to be present (at), attend
association, *f.* association, a French game of football
associé, *m.* associate, partner
*associer (à), to associate (with), take into partnership
assoupi, drowsy, suppressed, stifled
assurance, *f.* assurance, insurance, self-confidence
*assurer, to assure, guarantee, insure
assureur, *m.* insurer, underwriter
atmosphère, *f.* atmosphere, environment
atome, *m.* atom
atout, *m.* trump
*attacher, to attach, fasten; s'—, to cling
*attaque, *f.* attack, assault
*attaquer, to attack; s'— à, to attack
*atteindre, to attain, reach, attack
*attendre, to wait, wait for, expect; s'— à, to expect
attendrissement, *m.* compassion, pity, tenderness
*attenti-f, -ve, attentive, careful
*attention, *f.* attention
atterrer, to overwhelm, dismay
attestation, *f.* evidence, testimonial
*attirer, to attract
*attitude, *f.* attitude
attrait, *m.* attraction, charm
attribuer, to assign, attribute, ascribe
aube, *f.* dawn
*aucun, any, anyone; (*neg.*) no, no one, none; ne . . . —, not any, no, none
auditi-f, -ve, auditory, pertaining to the hearing
audition, *f.* audition
auditoire, *m.* audience
*augmenter, to increase, enlarge
*aujourd'hui, today
aune, *m.* ell, yard
*auprès de, near, beside
*aussi, also, so, therefore; — . . . que, as . . . as
*aussitôt, immediately; — que, as soon as
*autant, as much, as many; — que, especially, as, in so far as; d'— plus . . . que, so much the more . . . since
*auteur, *m.* author, writer
automne, *m.* autumn
automobile, *f.* automobile
autorisation, *f.* authorization, permission
*autoriser, to authorize, permit
autoritaire, arbitrary, authoritative, dictatorial
*autorité, *f.* authority, power
*autour, *adv.* around; — de, *prep.* around, about
*autre, other, different; de temps à —, from time to time
*autrefois, formerly
*autrement, otherwise
auxiliaire, *m.* assistant
avance: à l'—, in advance; par —, before hand, in advance
avancement, *m.* advancement
*avancer, to advance
*avant, before; — que, before; — de, before; en — de, in front of; en —, ahead
*avantage, *m.* advantage, benefit
*avec, with
*avenir, *m.* future
*aventure, *f.* adventure, experience, venture, incident

aventurier, *m.* adventurer
avenue, *f.* avenue
***avertir,** to warn, give warning *or* notice
avide, greedy
avion, *m.* plane; **raid d'—,** air raid
***avis,** *m.* opinion, notice; **être de l'— de,** to agree with
avocat, *m.* lawyer
***avoir,** to have, possess; **il y a,** *etc.* there is, *etc.*; **— à,** to have to
***avouer,** to admit, confess
avril, *m.* April
ayant, having

B

baccalauréat, *m.* bachelorship (of arts, sciences, *etc.*)
bain, *m.* bath
baiser, *m.* kiss
***baisser,** to lower
bal, *m.* dance, party
balayer, to sweep, sweep away
balbutier, to stammer
balle, *f.* ball, bullet
ballon, *m.* balloon
banal (*pl.* **-aux**), common, commonplace
bandit, *m.* bandit, gangster, scoundrel, rascal
banquet, *m.* banquet, feast
banquier, *m.* banker
barbare, barbarous, savage, inhuman; *m.* barbarian
barrière, *f.* railing, fence
***bas, basse,** low, vile, base; **à voix —,** in a whisper
base, *f.* base
***bataille,** *f.* battle
bateau, *m.* boat
***bâtiment,** *m.* building
***bâtir,** to build
***battre,** to beat; **— en retraite,** to retreat
bavard, talkative
bavarder, to chat, gossip
***beau, bel, belle,** beautiful, fine, handsome; **bel et bien,** downright
***beaucoup,** much, many, a good deal
beau-frère, *m.* brother-in-law
beau-père, *m.* father-in-law
***beauté,** *f.* beauty
beaux-parents, *m. pl.* parents-in-law
bedonner, to get stout
bélinographe, *m.* belinograph (machine for transmitting telephotographs on the Belin system)
belle, *see* **beau**
belle-mère, *f.* mother-in-law
belle-soeur, *f.* sister-in-law
bénéfice, *m.* benefit, profit
bénéficiaire, *m.* beneficiary
bénir, to bless
berceau, *m.* cradle
besogneu-x, -se, needy
***besoin,** *m.* need, necessity, want; **avoir — de,** to need
bestial (*pl.* **-aux**), bestial, animal
***bête,** silly, stupid
bibliothèque, *f.* library, book-case
***bien,** *adv.* well, very, very much, quite, indeed, to be sure, certainly, good, fine; **— des,** many; **— que,** although; **bel et —,** downright; *m.* wealth, property, capital
bienfaiteur, *m.* benefactor
***bientôt,** soon
bienveillance, *f.* benevolence, kindliness, kindness
biologie, *f.* biology
biologiste, *m.* biologist
bizarre, odd, peculiar, strange
blâmer, to blame, to censure
***blanc, blanche,** white, blank
***blesser,** to wound, hurt
***bleu,** blue
bloc, *m.* block
bloquer, to blockade
***boire,** to drink
***bois,** *m.* wood, woods
boisson, *f.* drink
***boîte,** *f.* box

bombardement, *m.* bombardment
***bon, -ne**, good, fine, kind; **à — marché**, cheap; **tenir —**, to hold one's ground
bond, *m.* leap, jump
***bonheur**, *m.* happiness, good luck
***bonté**, *f.* goodness, kindness
border, to border, line
borne, *f.* limit, boundary
borner: se — à, to confine oneself to, stop at
***bouche**, *f.* mouth
boucher, *m.* butcher
buffon, -ne, droll, comic; *m.* buffoon, clown
bougre, *m.* blackguard, rascal
***bouleverser**, to overthrow, upset
***bourgeois**, *m.* solid citizen
bourgeoisie, *f.* middle-class
bourru, cross, morose, moody
***bout**, *m.* end; **au — de**, at the end of
***bouteille**, *f.* bottle
boutique, *f.* shop
bouton, *m.* button, knob (of a door)
boxeur, *m.* boxer
branchage, *m.* branches, boughs
braquer, to fix, fasten, aim
***bras**, *m.* arm
***brave**, brave, worthy, good
bref, brève, brief; *adv.* in short
brièvement, briefly
***brillant**, brilliant, bright, dazzling
***briser**, to break
britannique, British
brochure, *f.* pamphlet
brosser, to brush, paint
brouillard, *m.* fog, mist
brouiller, to set at variance
***bruit**, *m.* noise, commotion, uproar, rumor
***brun**, brown
***brusque**, abrupt, rough
***brutal** (*pl.* **aux**), brutal, rough
bulletin, *m.* ballot
***bureau**, *m.* office, desk, staff
***but**, *m.* goal, aim, purpose
***buveur**, *m.* drinker

C

***ça = cela**
cabane, *f.* hut, cabin
***cabinet**, *m.*: **— de travail**, study, work-room
câble, *m.* cable, telegram
***cacher (à)**, to hide (from)
cadmium, *m.* cadmium
Caen [kã], capital of the department of Calvados, 229 west of Paris, about 30 kilometers from the English Channel, with a population of about 55,000 people
***café**, *m.* coffee, café
calcul, *m.* calculus, arithmetic, mathematical problem
calculé, calculated, computed, determined
câlin, *m.* wheedling, coaxing, fawning
***calme**, calm, still
***calmer**, to calm, quiet, subside
calorifère, *m.* stove
calotte: — crânienne, crown of the head
cambriolage, *m.* burglary
camp, *m.* camp
***campagne**, *f.* country, campaign
canaillerie, *f.* baseness
canal, *m.* (*pl.* **-aux**), canal
candidat, *m.* candidate
candidature, *f.* candidacy
canin, canine
canon, *m.* gun, cannon, barrel (of a gun)
caoutchouc, *m.* rubber
***capable**, capable
***capitaine**, *m.* captain
capital, *m.* capital
capter, to obtain (usually by coaxing or flattering), pick up, tune in
capturer, to capture
***car**, for, because

***caractère,** *m.* character, nature, disposition, characteristic
caramel, *m.* caramel
caresse, *f.* caress
caricature, *f.* cartoon, caricature
carillon, *m.* chime, peal
carré, *m.* square; **partie —e,** party consisting of two men and two women
***carrière,** *f.* career
carrure, *f.* breadth of shoulders
***carte,** *f.* card, map; **— de visite,** calling card; **— de Noël,** Christmas card
carton, *m.* cardboard, cardboard box
cartonné, lined with cardboard, in boards
***cas,** *m.* case
casani-er, -ère, domestic, home-loving, retired
catalogue, *m.* catalogue
catholicisme, *m.* catholicism
catholique, *m. or f.* Catholic
***cause,** *f.* cause, reason; **en —,** concerned
***causer,** to chat, cause
cave, *f.* cellar
***ce,** this, that, it, he, she, they; **— qui,** what, which, that; **— que,** what, that
***ceci,** this
***céder,** to yield, give up
***cela,** that, it
***célèbre,** celebrated, famous
***celle (-ci),** this (one), the latter; **— (-là),)** that one, the former; **celles (-ci),** these, the latter; **celles (-là),** those, the former
cellule, *f.* cell
***celui (-ci),** this (one); **— (-là),** that (one); **— ci,** the latter, **— là,** the former; **— qui,** he who
***cent,** *m. and adj.* one hundred, cent
***central** (*pl.* **-aux**), central
***centre,** *m.* center
***cependant,** however, yet, nevertheless
***cercle,** *m.* circle, club
cercueil, *m.* coffin, chest, box, cabinet
cérébral (*pl.* **-aux**), cerebral, pertaining to the brain
***certain,** certain, sure
***certainement,** certainly, of course, indeed
***certes,** certainly, of course, indeed
***ces,** these, those
***cesser,** to cease, stop
***cet, cette,** this, that
***ceux (-ci),** these, the latter; **— (-là),** those, the former
***chacun,** each, each one, everyone
chahut, *m.* noise, riot
chair, *f.* flesh
chaire, *f.* desk, professorship; **— de faculté,** professorship
***chaise,** *f.* chair
***chambre,** *f.* room, chamber; **femme de —** , chambermaid
***chance,** *f.* chance, good luck, piece of good luck
***changer,** to change, exchange; **— de,** to change
chanson, *f.* song; **— de geste,** medieval epic
***chant,** *m.* song, warbling
***chanter,** to sing
***chapeau,** *m.* hat
chapelle, *f.* chapel
chapitre, *m.* chapter
***chaque,** each, every
chargé, charged, ordered, entrusted, laden, filled, busy; **— de,** in charge of
***charge,** *f.* load; **femme de —,** maid, servant
***charger,** to load, entrust; **se — de,** to take charge of, take it upon oneself to
charité, *f.* charity; **avoir la — de,** to be charitable to

charlatan, *m.* charlatan, imposter, quack
***charmant**, charming, delightful
***charme**, *m.* charm
charnel, **-le**, carnal, sensual
chat, *m.* cat
***chaud**, warm, hot
chaume, *m.* stubble, thatch, thatched hut
chavirer, to capsize, upset
***chef**, *m.* leader, chief, head
***chemin**, *m.* road, way
***cheminée**, f. chimney, fire-place, mantelpiece
chemise, *f.* shirt
***cher**, **chère**, dear, expensive; **coûter —**, to be expensive; **mon —**, my dear fellow, old chap
***chercher**, to seek, look for; **— à** (*inf.*), to try to
***chéri**, dear, beloved; *m. and f.* dear (one)
***cheval**, *m.* (*pl.* **-aux**), horse; **— de bois**, wooden horse (on a merry-go-round)
***cheveux**, *m. pl.* hair
cheville, *f.* ankle
***chez**, to (at, in) the house of, of, in, with
chiffrage, *m.* figuring, putting into code
***chiffre**, *m.* figure, number, amount
chimérique, visionary, fantastic, fanciful
chimique, chemical
chimiste, *m.* chemist
***choisir**, to choose, select
***choix**, *m.* choice
choquer, to shock, offend
***chose**, *f.* thing, matter, affair
chronologique, chronological
chuchotement, *m.* whispering
chuchoter, to whisper
***chute**, *f.* fall
***ciel**, *m.* (*pl.* **cieux**), heaven, sky
cigare, *m.* cigar
cigarette, *f.* cigarette
cinéma, *m.* movies; **— parlant**, sound movies
cinématographe, *m.* moving picture machine
***cinq**, five
***cinquante**, fifty
cinquième, fifth
***circonstance**, *f.* circumstance, occasion, occurrence, event
circonvenir, to circumvent, surround, overreach
***cité**, *f.* city
***citer**, to cite, quote, mention, refer to
citoyen, *m.* citizen
***civil**, civil
***civilisation**, *f.* civilization
***clair**, clear, bright, fresh; **— de lune**, moonlight
clairement, clearly, brightly
clan, *m.* clan, family group, set
***classe**, *f.* class
classeur, *m.* portfolio, filing cabinet, desk with pigeon holes
classique, classic, standard, classical
***clef**, *f.* key; **fermer à —**, to lock
client, *m.* customer, patient, client
climat, *m.* climate
cliquetis, *m.* clicking, clanking, clash, rattling
clocher, *m.* steeple
cloître, *m.* cloister
clos, *m.* enclosure, field
cobaye, *m.* guinea-pig
code, *m.* code
***coeur**, *m.* heart; **de tout —**, with all one's heart, sincerely; **tenir à —**, to interest greatly
***coin**, *m.* corner
***colère**, *f.* anger
collaborateur, *m.* collaborator
collecti -f, **-ve**, collective, hired by all
collège, *m.* college, school, "house"
collègue, *m.* colleague, associate

*colonie, *f.* colony
colorant, *m.* coloring material
*combattre, to combat, fight
*combien, how much, how many, how
combinaison, *f.* combination, measure
comique, comic
*comme, like, as, as if, how
*commencer, to begin
*comment, how, what; why; what?
commentaire, *m.* commentary
commenter, to comment on, criticize, explain, analyze
commercial (*pl.* -aux), commercial; école — e, business school
commission, *f.* commission
*commode, convenient, comfortable; *f.* commode, dresser, chest of drawers
communication, *f.* communication, intercourse, message, report
*communiquer, to communicate, tell
*compagnie, *f.* company
comparable, comparable
comparaison, *f.* comparison
*comparer, to compare
compatriote, *m.* fellow-countryman
compétence, *f.* competence
complaisance, *f.* kindness, complacency
complaisamment, obligingly, complacently
complaisant, complacent
complément, complement
*compl-et, -ète, complete, full
*complètement, completely
complexe, complex, complicated
complication, *f.* complication, intricacy
compliment, *m.* compliment
compliqué, complicated, involved
composition, *f.* composition
compréhensi-f, -ve, comprehensive, understanding
*comprendre, to understand, comprehend; faire — à (quelqu'un), to make (someone) understand, let know
compris: y —, including
compromettre, to compromise, commit
compromis, compromised
*compte, *m.* account, amount; pour mon —, as for me; à meilleur —, cheaper; prendre à son —, to accept responsibility for; se rendre — (de), to realize; — rendu, article
*compter, to count, expect; — de nombreux amis, to have numerous (many) friends
conception, *f.* conception
*concerner, to concern, have to do with, be a matter for
concerter, to contrive, plan; se —, to put (their) heads together
*concevoir, to conceive, realize, understand
conciliateur, *m.* conciliator
*conclure, to conclude
conclusion, *f.* conclusion
concr-et, -ète, concrete
concurrent, *m.* competitor, rival
condamnable, condemnable, criminal
condamnation, *f.* conviction
*condamner, to blame, condemn, convict
condescendance, *f.* condescension, compliance
*condition, *f.* condition
conduc-teur, -trice, conducting
*conduire, to conduct, lead, drive, take; se —, to behave
*conduite, *f.* conduct, behavior
conférence, *f.* lecture; salle de —s, lecture-room
confession, *f.* confession
*confiance, *f.* confidence, trust
confiant, confident, unsuspecting
confidence, *f.* confidence, secret disclosure

confident, *m.* confidant
***confier**, to confide, entrust
confirmer, to confirm
conflit, *m.* conflict, struggle
***confondre**, to confuse, put to shame, abash
confondu, confused, amazed
conforme, conformable, according, suitable
conformer, to conform
conformisme, *m.* conformity
confortablement, comfortably
confrère, *m.* colleague, associate
confrontation, *f.* confrontation
***confus**, confused, amazed, embarrassed
confusion, *f.* confusion, embarrassment
congé, *m.* leave
Congrès, *m.* Congress
conjugal (*pl.* **-aux**), conjugal, married, marital
***connaissance**, *f.* knowledge, acquaintance; *f. pl.* knowledge
***connaître**, to know, get acquainted with
conquérir, to conquer, win
conquête, *f.* conquest
***consacrer**, to consecrate, devote
***conscience**, *f.* conscience, consciousness
conscient, conscious
***conseil**, *m.* advice, council, board; **de bon —**, sensible
***conseiller**, to advise, recommend; *m.* adviser, counsellor, councillor
consentement, *m.* consent
***conséquence**, *f.* consequence, result
conséquent: **par —**, consequently
***conserver**, to conserve, preserve, keep
conserva-teur, -trice, conservative
***considérer**, to consider, regard
***consister** (**à**), to consist (of), be composed
console, *f.* console, console-table
consommation, *f.* consumption, sales
conspiration, *f.* conspiracy, plot
***constant**, constant, steady
***constater**, to state, declare, observe, ascertain, prove
***constituer**, to constitute, verify
constitution, *f.* composition
constructeur, *m.* builder, manufacturer
construit, built, made
***consulter**, to consult
***contact**, *m.* contact
contemporain, contemporary; *m.* contemporary
***contenir**, to contain, hold
***content**, happy, glad, satisfied
contentement, *m.* contentment, satisfaction
contenu, *m.* contents
conter, to tell, relate
continu, continuous, unbroken
***continuer**, to continue
contraint, forced, compelled
***contraire**, contrary, opposite; *m.* opposite; **au —**, on the contrary
contrairement, contrary
contrat, *m.* contract
***contre**, against
contre-mine, *f.* counter-plot
contrôle, *m.* control
contrôler, to control, check
convenable, suitable, proper
convenablement, suitably, properly
***convenir** (**à**), to agree, admit, suit, fit, be proper
convention, *f.* convention
conventionnel, -le, conventional
***conversation**, *f.* conversation
conviction, *f.* conviction
convoiter, to covet
convoquer, to convoke, summon
copier, to copy
coquetterie, *f.* coquetry, flirtatiousness
cordial (*pl.* **-aux**), cordial
cornue, *f.* retort

***corps**, *m.* body, substance, corps (army); **— simple**, element, simple body
correct, correct, accurate
correspondre, to correspond
corrompu, corrupted
cortical (*pl.* -aux), cortical
cosmique, cosmic
***côté**, *m.* side, direction; **à — de**, beside; **de son —**, for his (her) part
cotonnier, *m.* "cotton man," man dealing in cotton
***cou**, *m.* neck
couche, *f.* class, stratum
***coucher**, to put to bed, sleep, lay down; **se —**, to go to bed, lie down
couche-tôt, *m.* one who goes to bed early
***couleur**, *f.* color; **en —**, colored, painted
***coup**, *m.* blow, stroke; **à — sûr**, certainly, unquestionably; **— d'oeil**, glance; **— de feu**, shot; **— de pied**, kick
***coupable**, guilty
***couper**, to cut, interrupt
***couple**, *f.* couple (two things of the same kind); *m.* couple (married), pair (of people or animals)
***cour**, *f.* court, yard; **faire la — à**, to pay court to, make love to
***courage**, *m.* courage, spirit
courbe, *f.* curve
coureur, *m.* runner, wanderer, tramp; **— de femme**, woman chaser
***courir**, to run
courrier, *m.* messenger, mail, letters
***cours**, *m.* course, lecture, class; **au — de**, in the course of; **faire un —**, to give a course
***court**, short, brief; **rester —**, to stop short
courtier, *m.* broker, agent; **— maritime**, ship broker
courtiser, to court, woo
courtoisie, *f.* courtesy, politeness
***cousin**, *m.* cousin
***coûter**, to cost; **— cher**, to be expensive
coutumi-er, ère, customary, usual
***couverture**, *f.* covering
***craindre**, to fear
***crainte**, *f.* fear
crânienne: calotte —, *f.* crown of the head
création, *f.* creation, establishment
créature, *f.* creature
crédit, *m.* credit
***créer**, to create, found, establish
crème, *f.* cream
***crier**, to cry, shout
***crime**, *m.* crime
criminel, -le, criminal
***crise**, *f.* crisis, fit, attack
critique, *m.* critic; *f.* criticism
***croire**, to believe, think; **à en —**, to take the word of
croissant, growing, increasing
crosse, *f.* butt-end (of a gun)
***cruel, -le**, cruel
cruellement, cruelly
***cuire**, to cook; **faire —**, to cook
***cuisine**, *f.* kitchen; **faire la —**, to do the cooking
cuisinière, *f.* cook
***cuivre**, *m.* copper
culpabilité, *f.* guilt
cultiver, to cultivate
culture, *f.* culture, education
curé, *m.* priest
***curieu-x, -se**, curious
***curiosité**, *f.* curiosity
cuve, *f.* tub, vat
cylindre, *m.* cylinder, roller
cynique, cynical
cynisme, *m.* cynicism

D

dactylographe, *m.* typewriter; *m. or f.* typist
d'ailleurs, *see* **ailleurs**

***dame,** *f.* lady
damner, to damn, condemn
***danger,** *m.* danger
***dangereusement,** dangerously
dangereu-x, -se, dangerous
***dans,** in into, to, within, during, on
d'autant, *see* **autant**
***de,** of, about, from, by, in, with, to, at, than, upon
débarrasser, to clear, rid; **se — de,** to get rid of
débauche, *f.* debauchery
***debout,** standing up, upright
***début,** *m.* beginning
débuter, to begin
décembre, *m.* December
décevoir, to disappoint, deceive
déchiffrer, to decipher
***décider,** to decide, resolve
***décision,** *f.* decision; **prendre une —,** to make a decision
déclencher, to detach, to unlock, unhook, unleash, arouse
décor, *m.* setting
découverte, *f.* discovery
***découvrir,** to discover, uncover
décrire, to describe
défaillance, *f.* faint, fainting spell, weakness, exhaustion
défaite, *f.* defeat
***défaut,** *m.* defect, fault
défavorable, unfavorable
***défendre,** to defend, forbid
***défense,** *f.* defense, prohibition
défensi-f, -ve, defensive; *f.* defensive
déférent, deferent, respectful, deferential
défilé, *m.* parade, line
défini, definite, determined
définiti-f, -ve, definitive
déformation, *f.* deformation
***dégager,** to disengage, release, loosen
dégoût, *m.* disgust, distaste, dislike
dégoûter: se —, to become disgusted
***degré,** *m.* degree
déguiser, to disguise, veil, conceal
déguisement, *m.* disguise
***déjà,** already, yet
***déjeuner,** to have lunch, have breakfast; *m.* lunch, breakfast
déjouer, to baffle, frustrate
délier: se —, to come untied, to unbend
***demain,** tomorrow
demande, *f.* query, request
***demander,** to ask (for), request; **se —,** to wonder; **— à,** to ask permission
démarche, *f.* measure, step, call
déménager, to move [out] (of **a** house)
***demeurer,** to reside, live, remain
demi-mot, *m.* hint
démon, *m.* demon
***démonter,** to dismount, take apart
***départ,** *m.* departure
départager, to settle by a vote, break a tie vote
dépaysé, away from home
dépêche, *f.* message, telegram
dépendance, *f.* dependence, outbuilding, annex
***dépendre (de),** to depend (upon)
dépens: aux — de, at the expense of
***dépense,** *f.* expense
dépensi-er, ère, extravagant
déplacé, misplaced, out of place
déplacer, to displace, move
déplaisant, unpleasant
***déposer,** to put down, deposit, lay aside
dépouiller, to strip, rob
dépourvu, destitute, devoid; **pris au —,** caught unawares, unprepared
***depuis,** since, for; **— que,** since
déraciner, to uproot, eradicate
déraisonnable, unreasonable
dérèglement, *m.* irregularity, disorder

***derni-er, -ère,** last
dérouler, to unroll; **se —,** to be unfolded
***dès,** from, since, at, as early as; **— que,** as soon as, when; **— le premier abord,** from the very first
désaccord, *m.* disagreement
descendant, *m.* descendant, offspring
description, *f.* description
***désespérer,** to despair
***désigner,** to designate, point out
désintéressé, disinterested, unselfish
***désir,** *m.* desire, wish
***désirer,** to desire, wish
désolé, very sorry
***désormais,** henceforth
dessein: à —, on purpose, intentionally
dessert, *m.* dessert
dessiner, to draw, sketch, indicate
détachement, *m.* indifference, detachment (*mil.*)
***détail,** *m.* detail
détailler, to relate minutely
***déterminer,** to determine, resolve
détestable, detestable, hateful, odious, nasty
***détester,** to detest, hate
***détruire,** to destroy, ruin, pull down
***deux,** two; **tous —,** both
***devant,** before, in front of
***développement,** *m.* development
***développer,** to develop
***devenir,** to become, get
***deviner,** to guess
dévoiler, to unveil, discover, reveal
***devoir,** to owe, be to, have to, must; *m.* duty, work
***diable,** *m.* devil, deuce; **pourquoi —?** why the deuce?
diabolique, diabolical, devilish
diabolo, *m.* diabolo (game)
diaphragme, *m.* diaphragm
dictionnaire, *m.* dictionary
***Dieu,** *m.* God
***différent,** different
***difficile,** difficult, hard, hard to please
***difficulté,** *f.* difficulty
diffusion, *f.* diffusion, spread
***digne,** worthy, deserving
dignité, *f.* dignity
digression, *f.* digression
***dimanche,** *m.* Sunday
dimension, *f.* dimension, size
***diminuer,** to diminish, lessen
***dîner,** to dine; *m.* dinner
diplomate, *m.* diplomat
diplôme, *m.* diploma
***dire,** to say, tell; **c'est à —,** that is to say
***direct,** direct
***directeur,** *m.* director
***direction,** *f.* direction, management
***diriger,** to direct, manage
discipline, *f.* discipline, education, training
discorde, *f.* discussion, discord
***discours,** *m.* discourse, speech
discr-et, -ète, discreet
discrétion, *f.* discretion, prudence, caution
***discussion,** *f.* discussion, dispute
***discuter,** to discuss, argue
***disparaître,** to disappear, vanish
disparu, disappeared
dispenser, to dispense, exempt (from), distribute
***disposer,** to prepare, make ready
dispositif, *m.* apparatus
***disposition,** *f.* disposal, service
disque, *m.* disk, record
dissocier, to break up, disorganize
***distance,** *f.* distance
distant, distant
distillateur, *m.* distiller
distrait, distracted, unattentive, absent-minded
distribuer, to distribute
divagation, *f.* wandering, rambling

divan, *m.* divan, sofa
***divers**, diverse, various, different, varied
divertir, to divert, amuse
divertissant, amusing, entertaining
dividende, *m.* dividend
***diviser**, to divide
divorce, *m.* divorce
divorcé, *m.* divorced man
***dix**, ten
***docteur**, *m.* doctor
doctorat, *m.* doctorate, doctor's degree
doctrine, *f.* doctrine
***doigt** *m.* finger
dollar, *m.* dollar
***domaine**, *m.* estate, property; **mettre dans le — public**, to declare public property
domicile, *m.* domicile, home, residence; **à —**, at home, in the home, house-to-house
domination, *f.* domination, rule
***dominer**, to dominate, get the better of
***don**, *m.* donation, gift; *pl.* talents
donateur, *m.* donor, giver
***donc**, then, therefore, just, now
donnée, *f.* idea; *pl.* data
donner, to give, produce; **se — pour**, to give oneself out as
***dont**, whose, of whom, of which, in (by, with, among, at) which
***dormir**, to sleep
dossier, *m.* back (of chair)
dotation, *f.* endowment
***double**, double
***doublé**, doubled
doublement, doubly
***doucement**, softly, gently, pleasantly
***douceur**, *f.* sweetness, softness, gentleness, pleasure; **avec —**, gently
***douleur**, *f.* pain, sorrow
douloureu-x, -se, painful, grievous, sorrowful
doute, *m.* doubt; **sans —**, doubtless, of course
***douter (de)**, to doubt; **se — (de)**, to suspect
douteu-x, -se, doubtful
***dou-x, -ce**, gentle, kind, sweet, soft
***douze**, twelve
doyen, *m.* dean
drapeau, *m.* flag, pennant
dresser, to erect, prepare
droit, right just, straight, erect; *m.* law, right
droite, *f.* right (direction)
droits, *m. pl.* rights
***drôle**, funny, queer, odd
***dur**, hard, rough, severe, stern
durée, *f.* duration
***durer**, to last

E

***eau**, *f.* water; **— gazeuse**, carbonated water
ébloui, dazzled
écaille, *f.* shell, tortoise-shell
***écarter**, to push aside, remove, scatter
ecclésiastique, ecclesiastical, clerical
***échanger**, to exchange
***échapper (à)**, to escape (from), avoid; **laisser —**, to drop (a word or remark)
échec, *m.* failure, check, loss
échelle, *f.* ladder, scope, scale
échouer, to fail
***éclairer**, to light up, enlighten
***éclat**, *m.* brightness, outburst, brilliance
***éclater**, to shine, break, burst; **— de rire**, to burst out laughing
***école**, *f.* school; **— commerciale**, business school
écossais, Scotch
écouler: s' —, to elapse, slip by
***écouter**, to listen (to)

écouteu-r, -se, listener, auditor
***écrire**, to write
écriture, *f.* handwriting, penmanship
écrivain, *m.* writer, author
écureuil, *m.* squirrel
édifice, *m.* building
éditer, to publish
éditeur, *m.* publisher
éducateur, *m.* educator
***éducation**, *f.* upbringing, training, education
***effet**, *m.* effect; **en —**, in fact, indeed
efficace, efficacious, effectual, efficient
efficacité, *f.* efficacy, efficiency
***efforcer: s'— de**, to strive, endeavor
***effort**, *m.* effort, endeavor, exertion
effraction, *f.* burglary
***effrayer**, to frighten, scare
***égal** (*pl.* **-aux**), equal, like; **cela m'est —**, it is all the same to me, I don't mind
***égard**, *m.* regard, respect; **à l' — de**, with regard to
***église**, *f.* church
égoïsme, *m.* egoism, selfishness
égoïste, egoistic, selfish
élection, *f.* election
électricité, *f.* electricity
électrique, electric
élémentaire, elementary
***élément**, *m.* element
élévation, *f.* elevation, height
***élève**, *m.* student, pupil
***élevé**, raised, elevated, brought up, high
éliminer, to eliminate
élire, to elect
***elle**, she, her, it; **—s**, they, them
***elle-même**, herself, itself
éloge, *m.* praise
***éloigner**, to remove, send away; **s'—**, to go away, depart, forsake, be estranged
éloquent, eloquent
émasculé, emasculated, weak
embarquer, to embark
***embarras**, *m.* embarrassment
***embarrasser**, to embarrass, perplex
***embrasser**, to embrace, kiss
émerveiller, to astonish, amaze; **s'—**, to be amazed
émeute, *f.* riot, tumult
éminent, eminent
émissaire, *m.* messenger, emissary
émission, *f.* emission
***emmener**, to lead away, take along (off), carry off
émoi, *m.* anxiety, emotion
***émotion**, *f.* emotion, feeling
émousser: s'—, to become dull
***empêcher**, to hinder, prevent
empiéter sur, to encroach upon
employé, *m.* employee, clerk
***employer**, to use, employ
empoisonner, to poison
***emporter**, to carry away, remove, take, gain, win; **l' — sur**, to get the better of, prevail
empressement, *m.* haste, eagerness
emprunter (à), to borrow (from)
***ému**, touched, moved
***en**, *prep.* in, (in)to, of, on, made of, by, like, as; *pron.* some, any, of (from, *etc.*) it, them, him, her
encerclé, encircled, surrounded
***enchanter**, to enchant, delight
enclore, to enclose
enclos, *m.* enclosure
***encore**, still, yet, again, besides; **— un (une)**, one more, another; **— une fois**, once more
encourager, to encourage
encyclique, *f.* encyclical (letter)
***endormir**, to put to sleep; **s' —**, to go to sleep, fall asleep
***enfance**, *f.* childhood
***enfant**, *m.* or *f.* child; **jeu d'—**, child's play
enfer, *m.* hell
***enfin**, finally, at last, in short, after all

enfoncer: s'—, to sink, plunge
engager: **s' — à**, to take it upon oneself to
engendrer, to engender, beget, generate
***enlever**, to carry off, remove, take off (away)
***ennemi**, *m.* enemy
***ennui**, *m.* weariness, boredom, annoyance, vexation
ennuyer, to annoy, tire, bore; **s'—**, to be bored
ennuyeu-x, **-se**, tiresome, annoying, boring
énoncer, to state, express
enquête, *f.* inquiry, inquest, investigation
enregistrement, *m.* recording
enregistrer,, to record, register
enregistreu-r, **-se**, recording; *m.* recorder
enrhumer: **s'—**, to catch a cold
enrichir, to enrich
enrichissement, *m.* enrichment
enrôler, to enlist, enroll
enrouler: s'—, to roll up, to be rolled
***enseignement**, *m.* instruction, teaching; **— supérieur**, higher education
***enseigner**, to teach, instruct
***ensemble**, together; *m.* whole, series
***ensuite**, then, afterward, next
***entendre**, to hear, understand; **s'— avec**, to get along with; **bien entendu**, of course
***enthousiasme**, *m.* enthusiasm
enthousiaste, enthusiastic
***enti-er**, **-ère**, entire, whole; **tout — (ère)**, in it's entirety
***entièrement**, entirely, wholly
***entourer**, to surround, enclose, be with
entraînement, *m.* enthusiasm, impulse, training
***entraîner**, to drag (draw) along, bring, carry away, involve
entraîneur, *m.* trainer, coach
***entre**, between, among; **d' —**, of
***entrée**, *f.* entrance, opening, mouth
entreprendre, to undertake, attempt
***entreprise**, *f.* enterprise, undertaking
***entrer (dans)**, to enter; **faire —**, to show in
***entretenir**, to maintain, support, keep up
***entretien**, *m.* support, conversation
***entrevoir**, to glimpse, to catch a glimpse of
entr'ouvrir, to open partially, half-open
***envahir**, to invade, overcome, take possession of
enveloppe, *f.* cover, wrapping
***envelopper**, to wrap up, cover
envers, towards
***environ**, about
***envoyer**, to send
***épais**, **-se**, thick
épargner, to save, spare
***épaule**, *f.* shoulder
épier, to spy (on), **watch** (**observe**) closely
épisode, *m.* episode
épithète, *f.* epithet
***époque**, *f.* period, time
épouse, *f.* wife
***épouser**, to marry
***éprouver**, to experience, feel, test
***épuisé**, exhausted, used up
épuiser: s' —, to be exhausted, die down, diminish
équation, *f.* equation
équilibre, *m.* equilibrium, balance
équipe, *f.* team
équiper, to equip, fit out, furnish
équitablement, equitably, fairly, justly
érable, *m.* maple-tree
errant, wandering, roving
érudition, *f.* learning, scholarship
***escalier**, *m.* stairs, stair-case
escroquerie, *f.* swindle, fraud

***espèce,** *f.* kind, sort, species
***espérer,** to hope, hope for, expect
espionnage, *m.* espionage, spying
***esprit,** *m.* mind, intelligence, wit, spirit; **mauvais —,** rascal, scoundrel
esquisser, to sketch, outline
essai, *m.* trial, attempt, experiment; **tenter un —,** to make an attempt
***essayer,** to try, attempt, try out
essentiel, -le, essential, main; *m.* main point
***essuyer,** to wipe, wipe away
estimable, estimable, admirable, worthy of esteem
estime, *f.* esteem, regard
***estimer,** to esteem, consider, think; **très estimé,** highly thought of
***et,** and
***établir,** to establish, set up, erect
établissement, *m.* establishment
***étage,** *m.* floor, story
***état,** *m.* state, condition, profession
état-major, *m.* staff, general staff (*mil.*)
États-Unis, *m. pl.* United States
***été,** *m.* summer; **en —,** in summer; (*p. p.* **être,**) been
étendre: s' —, to stretch out
***éternel, -le,** eternal, perpetual, endless
étincelle, *f.* spark
étiquette, *f.* etiquette
***étoile,** *f.* star
***étonnement,** *m.* astonishment, amazement
***étonner,** to astonish
***étrange,** strange. odd; **être — à la question,** to be beside the point; **être — à l'affaire,** to have nothing to do with the matter
***étrang-er, -ère,** strange, foreign; *m.* stranger, foreigner; **à l' —,** abroad
***être,** to be, belong to, have (*as auxiliary*); *m.* human being
étreinte, *f.* clasping, embrace, grasp, tie
étriqué, scanty, narrow
***étroit,** narrow, tight, confined
***étude,** *f.* study
étudiant, *m.* student
***étudier,** to study, examine
européen, -ne, European
***eux,** they, them
évangéliser, to evangelize, preach the Gospel to, convert
évasé, wide
***éveiller,** to awaken, arouse
***événement,** *m.* event, incident
***évidemment,** evidently, obviously
évident, evident, obvious
***éviter,** to avoid, shun
évoquer, to evoke
***exact,** exact, correct, accurate
***exactement,** exactly, accurately
***examen,** *m.* examination, test
***examiner,** to examine, inspect
***excellent,** excellent, splendid
exception, *f.* exception
exceptionnel, -le, exceptional, unusual
***excès,** *m.* excess
excessi-f, -ve, excessive, intemperate, exorbitant
***exciter,** to excite, arouse
excommunier, to excommunicate
***excuse,** *f.* excuse, apology
excuser: s' — de, to apologize for, decline
exécrable, detestable, deplorable
exécution, *f.* execution, carrying out, accomplishment, fulfillment
exemplaire, exemplary; *m.* copy
***exemple,** *m.* example; **par —,** for example, for instance
***exercer,** to exercise, practice
***exiger,** to require, demand
exil, *m.* exile
exilé, *m.* exile, exiled person
exiler, to exile, banish
***existence,** *f.* existence, life

*exister, to exist, be
*expérience, *f.* experience, experiment; faire une —, to carry out an experiment, to experiment
expérimentateur, *m.* experimenter, experimentalist
expert, expert, skilful; *m.* expert
explication, *f.* explanation
*expliquer, to explain, account for
exploiter, to exploit, take advantage of
explorer, to explore
*exposer, to expose, state, explain
*exprimer, to express
extension, *f.* extension
*extérieur, exterior, outer, outward
extraire, to extract, take out
extrait, *m.* extract, excerpt, certificate
extravagant, extravagant, wild
*extrême, extreme, great

F

fabricant, *m.* manufacturer
fabrication, *f.*: — en série, mass production
fabriquer, to manufacture, make
façade, *f.* façade, front, face (of a building)
face: en —, opposite
fâché, angry, sorry, offended
fâcher, to anger, vex; se —, to become angry
*facile, easy
facilité, *f.* facility, ease
facilement, easily
facteur, *m.* postman
*faculté, *f.* faculty, power, branch (of study), school, department
*faire, to do, make, be, cause, perform; se —, to be done; — une santé à qqn., to make one healthy; — un cours, to give a course; — la cuisine, to do the cooking; — entrer, to show in; — un voyage, to take a trip; — horreur à, to horrify, disgust; — l'appel nominal, to call the roll; lui — des reproches sur, to reproach him for; — partie de, to be a member of; — appel, to appeal; — valoir, to emphasize, stress; — la cour, to court; — semblant de, to pretend; — grâce à, to pardon; — des gorges chaudes, to have a good laugh at; faire + *inf.* to have something done, *or* cause to be made or done
*fait, *m.* fact, act, deed; tout à —, completely
*falloir, must, have to, need, require
*fameu-x, -se, famous
famili-al, (*pl.*-aux), family, pertaining to the family
*famili-er, -ère, familiar
*famille, *f.* family
fanatique, fanatical; *m.* fanatic
*fantaisie, *f.* fancy, whim
faribole, *f.* idle story, trifle
fat, conceited, vain, foppish
*fatigue, *f.* fatigue, weariness
*fatiguer, to tire, weary
faucheuse, *f.* mowing-machine
*faute, *f.* fault, mistake; — de, for want of
*fauteuil, *m.* armchair
*faux, fausse, false, untrue, deceitful, treacherous
*faveur, *f.* favor; avec —, favorably
favori, favorite, favorite
feindre, to pretend, feign
feint, pretended, assumed
féliciter, to congratulate
*femme, *f.* woman, wife; — de chambre, chambermaid; — de charge, maid, servant
*fenêtre, *f.* window
*ferme, firm, resolute, strong; *f.* farm
fermement, firmly
fermenter, to ferment, rise
*fermer, to close, shut; — à clef, to lock
fermeté, *f.* firmness, strength

fêter, to celebrate, entertain, do honor to
***feu**, *m.* fire, flame, light, passion; **coup de —**, shot; **prendre —**, to flare up
***feuille**, *f.* leaf
feuilleter, to thumb through, run over, peruse rapidly
fiançailles, *f.pl.* engagement, betrothal
fiche, *f.* small card, slip of paper, memo
***fidèle**, faithful
fidélité, *f.* faithfulness
***fi-er, -ère**, proud, haughty
fierté, *f.* pride, haughtiness, arrogance
***figure**, *f.* face, figure, diagram
figurer, to figure
***fil**, *m.* thread, string, wire
***fille**, *f.* daughter, girl; **jeune —**, young lady, (respectable) girl, young woman
filmer, to film, photograph
***fils**, *m.* son
filtrant, filtering
***fin**, fine, refined; *f.* end, aim; **sans —**, endless(ly)
finances, *f.pl.* finances
***finir**, to finish, end; **— par** (+ *inf.*), finally; **elle finit par y aller**, she finally went there
fixe, fixed, invariable, regular, steady
***fixer**, to fix, fasten, determine
flatter, to flatter
flatterie, *f.* flattery
flatteu-r, -se, flattering, complimentary
***fleur**, *f.* flower; **à —s**, with a floral design
fleuri, flowered, in blossom, adorned with flowers
flirt, *m.* flirt, flirtation
flirter, to flirt
florentin, Florentine
flux, *m.* flux, flow, course
***foi**, *f.* faith, trust, belief; **sur la — de**, believing in; **ma — !** dear me! **mauvaise —**, dishonesty, insincerity
foire, *f.* fair, market-place
***fois**, *f.* time; **une —**, once; **encore une —**, once more, another; **à la —**, at the same time, simultaneously, both . . . and
***folie**, *f.* folly, madness
folle, *see* **fou**
fonci-er, -ère, landed, land
***fonction**, *f.* function, duty
fonctionnaire, *m.* public official
fonctionnement, *m.* operation, working
fonctionner, to work, operate
***fond**, *m.* bottom, back, background, depth; **à —**, thoroughly, **au —**, after all, in reality, at heart, basically
fondateur,, *m.* founder
fondation, *f.* foundation, endowment, institution
***fonder**, to found, establish
***fondre**, to melt, burst, disappear
forain, of a fair
***force**, *f.* force, strength, ability, skill
***forcer**, to force, oblige
foresti-er, -ère, forest, pertaining to the forest
***forêt**, *f.* forest
formation, *f.* formation
***forme**, *f.* form, shape, kind
formel, -le, formal, explicit, absolute
***former**, to form
formule, *f.* formula, form
***fort**, strong, powerful, clever; *adv.* very, greatly, loudly; *m.* strong point, forte
fortifié, fortified
fortuit, fortuitous, chance, casual, unforeseen
***fortune**, *f.* fortune, wealth

***fou, folle,** mad, crazy, foolish, stupid; *m.* fool
***foule,** *f.* crowd
***foyer,** *m.* hearth, home
fragment, *m.* piece, bit, fragment, part
***frais, fraîche,** fresh, cool, youthful, sweet, recent; *m.pl.* expense, expenses
***franc, franche,** frank, open, free
***français,** French; *m.* Frenchman
***frapper,** to hit, knock, impress
fréquent, frequent
fréquenter, to associate with, visit
***frère,** *m.* brother
frigidaire, *m.* refrigerator
frivole, frivolous, shallow
***froid,** cold, cool
froncement, *m.*: **— de sourcil,** knitting of the brows, scowl
***front,** *m.* front, battle-front
"frontière," frontier
fugiti-f, -ve, fugitive, fleeting
***fuir,** to flee, take flight
fumer, to smoke
funeste, fatal, disastrous, dismal
fureur, *f.* fury, rage
***furieu-x, -se,** furious, wild, enraged
***futur,** future

G

gâcher, to spoil
***gagner,** to earn, win, gain, reach
***gai,** gay, merry, lively
gaiement, gaily, cheerfully
gain, *m.* profit, earning
gaine, *f.* sheath
galon, *m.* stripe
gamme, *f.* scale
garant, *m.* guarantee, voucher
garantie, *f.* guaranty
***garçon,** *m.* boy
***garde,** *f.* guard, watch, care; **prendre —,** to take care, be careful
***garder,** to guard, keep, watch over; **se — de,** to be careful not to
***gare,** *f.* station
gâteau, *m.* cake
***gauche,** left, awkward, clumsy
gazeuse: eau —, carbonated water
géant, gigantic
gendre, *m.* son-in-law
***gêner,** to trouble, annoy, embarrass
***génér-al** (*pl.* **-aux**), general
génération, *f.* generation
généreusement, generously, nobly
***généreu-x, -se,** generous, liberal
générosité, *f.* generosity, liberality
***génie,** *m.* genius, spirit, (great) mind
***genou** (*pl.* **genoux**), *m.* knee; **sur ses —,** in her (his) lap
***genre,** *m.* kind, sort, species, literary genre
***gens,** *m.pl.* people, men, persons
gentillesse, *f.* gracefulness, amiability, friendliness
***geste,** *m.* gesture, movement; **chanson de —,** medieval epic
glacé, frozen; **eau —e,** ice water
***glace,** *f.* ice, ice cream, mirror
glacer, to freeze, chill
glacier, *m.* ice cream vendor
***gloire,** *f.* glory, luminary
***gorge,** *f.* throat, ravine; **faire des —s chaudes,** to have a good laugh at
gosier, *m.* throat
gothique, gothic
***goût,** *m.* taste, flavor, liking; **prendre — à,** to take a liking to
***goûter,** to taste, enjoy
gouverner, to govern
gouverneur, *m.* governor
***grâce,** *f.* grace, charm, pardon; **— à,** thanks to; *pl.* graces (game)
gracieu-x, -se, graceful, gracious
gramophone, *m.* gramophone
***grand,** large, big, great, tall, grand, main, important, general
***grandeur,** *f.* size, height, greatness, grandeur
grandiloquent, grandiloquent, pompous, bombastic

grand'mère, *f.* grandmother
gratte-ciel, *m.* skyscraper
***grave,** grave, serious, solemn
***gravement,** gravely, seriously
***gré,** *m.* will, wish, liking
gri-ef, -ève, grievous, serious; *m.* wrong, injury, grievance, complaint
griffer, to claw, seize with the claws, scratch
grimper, to climb, cling
grippe: prendre en —, to take a violent dislike
***gros, -se,** big, fat, coarse, rough; **en —,** in outline form
grouillement, *m.* rumbling, teeming
***groupe,** *m.* group
grouper, to group
***guère,** scarcely; **ne . . . —.** scarcely hardly
***guerre,** *f.* war

H

['h indicates aspirate h]

habile,, clever, skilful, expert
habileté, *f.* skill, ability
***habiller,** to dress; **s'—,** to dress, get dressed
***habitant,** *m.* inhabitant, occupant
***habiter,** to live (in), inhabit
***habitude,** *f.* habit, custom, use
habitué (à), accustomed, used (to)
***habituel, -le,** habitual, customary, usual
habituer, to accustom; **s' — à,** to become accustomed to
***'haie,** *f.* hedge
***'haine,** *f.* hate, hatred
'haïr, to hate
'hall, *m.* hall
hallucination, *f.* hallucination, dream
'handicaper, to handicap
'hanter, to haunt, obsess
***'hardi,** bold, daring, hardy
'hasard: au —, at random
'hâter: se —, to hasten
***'hausser,** to raise, lift, shrug
***'haut,** high, tall, loud; *adv.* aloud, loudly; *m.* top; **à —e voix,** aloud
'haut-parleur, *m.* loudspeaker
'hautain, haughty, proud
'hautement, boldly, resolutely, proudly, openly, aloud
hebdomadaire, weekly
***hélas,** alas
héréditaire, hereditary
'hérissé, bristling, shaggy, standing on end
héroïne, *f.* heroine
***héroïque,** heroic
***hésiter,** to hesitate, waver
***heure,** *f.* hour, o'clock; **tout à l' —,** in a little while, a little while ago; **à tout à l' —,** so long, see you soon
***heureusement,** happily, luckily
***heureu-x, -se,** happy, fortunate, lucky
***hier,** yesterday
***histoire,** *f.* history, story
historien, *m.* historian
***hiver,** *m.* winter; **en —,** in winter
'hollandais, *m.* Dutch language; **'Hollandais,** *m.* Dutchman
***homme,** *m.* man; **honnête —,** gentleman; **— d'affaires,** business man
***honnête,** honest, polite, respectable, honorable; **— homme,** gentleman
honnêtement, honestly, honorably, respectfully, respectably, properly
honnêteté, *f.* honesty, uprightness, integrity, respectability
***honneur,** *m.* honor; **faire — à,** to honor
honorable, honorable
'honte, *f.* shame; **avoir —,** to be ashamed
'honteu- x, -se, ashamed, shameful
hôpital, *m.* hospital
horloge, *f.* large clock; **— à carillon,** chiming clock
horlogerie, *f.*: **mouvement d' —,** clockwork

***horreur,** *f.* horror; **faire — à,** to horrify, disgust
***horrible,** horrible, frightful, horrid
***'hors,** out, beside, except; **— de,** beyond
hostile, hostile
hôte, *m.* host, guest
***humain,** human, humane
***humanité,** *f.* humanity
***humeur,** *f.* humor, mood, disposition
humide, damp, moist, wet
humour, *m.* humor
'hutte, *f.* hut, cabin
hypocrite, hypocritical
hypothèque, *f.* mortgage
hypothèse, *f.* hypothesis, supposition
hypsométrique, hypsometric, altimetric

I

***ici,** here
***idéal,** (*pl.* **-aux**), ideal
***idée,** *f.* idea, thought, opinion
identique, identical
idiot, idiotic, absurd, foolish; *m.* idiot, fool
ignoble ignoble, vile, mean
ignorance, *f.* ignorance
***ignorer,** not to know, to be ignorant of
***il,** he, it, there
illimité, unlimited, limitless
***illusion,** *f.* illusion, delusion
***illustre,** illustrious, famous
***ils,** they
***image,** *f.* image, picture, resemblance; **à l' — de,** in the likeness of, modeled after
imaginaire, imaginary
***imagination,** *f.* imagination, fancy; **ouvrage d' —,** creative work
***imaginer,** to imagine, picture
***imbécile,** stupid, silly; *m.* fool, imbecile
imitation, *f.* imitation
***imiter,** to imitate
***immense,** immense, huge, vast
immigrant, *m.* immigrant
impartialité, *f.* impartiality
***impatience,** *f.* impatience
imperceptible, imperceptible, invisible
imperfection, *f.* imperfection
impersonnel, -le, impersonal
***importance,** *f.* importance
***importer,** to matter, be important; **n'importe,** no matter, it doesn't matter; **que m'importe,** what does it matter to me?; **peu importe,** it matters little
importuner, to trouble, annoy, inconvenience
***imposer (à),** to impose (upon), inflict
***impossible,** impossible
***impression,** *f.* impression, feeling
improviser, to improvise
imprudence, *f.* imprudence, heedlessness, indiscretion
imprudent, imprudent, indiscreet, heedless, shameless
impuissant, powerless, helpless
impulsion, *f.* impulse, impetus, spur (of the moment)
inacceptable, unacceptable
inaccessible, inaccessible
inamovible, permanent, irremovable
***incapable,** incapable, unable
***incident,** *m.* incident
inclination, *f.* inclination, tendency, attachment, affection, slope
incliner: s' —, to incline, yield, bend down, slope
incohérent, incoherent
***inconnu,** unknown; *m.* stranger
inconscience, *f.* unconsciousness, lack of awareness
inconsciemment, unconsciously
inconscient, unconscious

inconvénient, *m.* inconvenience, disadvantage, objection, harm
incrédule, incredulous, unbelievable, unbelieving
incrédulité, *f.* incredulity, unbelief
incroyable, incredible, unbelievable
incroyablement, incredibly
indéfinissable, undefinable, unaccountable, indescribable
indescriptible, indescribable
indésirable, undesirable
indicateur, *m.* indicator; **poteau —**, finger-post, sign-post
Indien, *m.* Indian
indifférence, *f.* indifference, unconcern
***indifférent**, indifferent, unconcerned
indignation, *f.* indignation
indigne, unworthy
***indiquer**, to indicate, point out, designate
indirectement, indirectly
indiscr-et, **-ète**, indiscreet, inquisitive
indiscrétion, *f.* imprudence
indiscutable, incontestable
***indispensable**, indispensable, essential
***individu**, *m.* individual, person
indulgence, *f.* indulgence
***industrie**, *f.* industry
industriel, **-le**, industrial; *m.* manufacturer, industrialist
inévitable, inevitable, unavoidable
inexploré, unexplored
infanterie, *f.* infantry
infern-al, (*pl.* **-aux**) infernal
infériorité, *f.* inferiority
***infini**, indefinite, endless
infiniment, infinitely, endlessly, very greatly
inflexible, inflexible, unbending, stiff
***influence**, *f.* influence
influent, influential
information, *f.* information
informer, to inform
ingénieu-x -se, ingenious, clever
ingrat, ungrateful, thankless
initi-al, (*pl.* **-aux**), initial, first
initié, initiated; *m.* initiate
injuste, unjust, unfair
innocence, *f.* innocence
***innocent**, innocent, harmless
innombrable, innumerable
inoccupé, unoccupied
inoffensi-f, **-ve**, inoffensive, harmless
inoubliable, unforgettable
***inqui-et**, **-ète**, uneasy, restless, troubled, worried
***inquiétant**, disquieting, alarming
***inquiéter**, to trouble, upset, alarm, disturb
***inquiétude**, *f.* uneasiness, anxiety, restlessness
insatisfait, unsatisfied
inscrire: s' —, to enter one's name
insinuer, to insinuate, suggest, hint
insistance, *f.* insistence, persistence
***insister**, to insist, persist
insomnie, *f.* insomnia, sleeplessness; **nuit d' —**, sleepless night
***inspirer**, to inspire, arouse
installé seated
***installer**, to install, settle; **s' —**, to establish oneself, sit down
***instant**, *m.* instant; **pour l' —**, for the moment, for the time being
***institution**, *f.* institution
instruction: juge d' —, examining magistrate
instrument,, *m.* instrument
insupportable, intolerable, unbearable
intellectuel, **-le**, intellectual
***intelligent**, intelligent
intelligible, comprenhensible, understandable
***intention**, *f.* intention; **avoir l' — de**, to intend
***interdire (à)**, to forbid, prohibit

***intéressant**, interesting
***intéresser**, to interest; **s' — à**, to be interested in, become interested in, take an interest in
***intérêt**, *m.* interest
***intérieur**, interior, inner
intérieurement, inwardly, internally
intermède, *m.* interlude
interminable, endless
***interrompre**, to interrupt
intervalle, *m.* interval, period
intervenir, to intervene, interfere; **— auprès de**, to interfere with, interpose one's authority upon
***intime**, intimate, close, private
intimement, intimately, closely
intimité, *f.* intimacy, closeness
***inutile**, useless, unnecessary
***inventer**, to invent, devise
inventeur, *m.* inventor
***invention**, *f.* invention, trick
inverse, inverse, contrary, reverse
invincible, invincible
***inviter**, to invite
involontaire, involuntary
invraisemblable, improbable
ironie, *f.* irony
irréel, -le, unreal
irréfutable, irrefutable
irrémédiable, irreconcilable, hopeless
irréprochable, irreproachable
irrésistible, irresistable
irrévocable, irrevocable
irritation, *f.* irritation, vexation, anger
irrité, irritated, angry
irriter, to irritate, anger, provoke
isolant, insulated
***isolé**, isolated
ivre, intoxicated, drunken
ivresse, *f.* intoxication, drunkenness

J

***jadis**, formerly
jaillir, to gush forth, spout, spring forth, fly (of sparks)
***jalou-x, -se**, jealous
***jamais**, ever; **ne . . . —**, never; **à —**, forever; **à tout —**, forever and ever
***jambe**, *f.* leg
janséniste, Jansenist, austere
***jardin**, *m.* garden
jardini-er, -ère, garden, gardening, pertaining to the garden; *m.* gardener
***jaune**, yellow
***je**, I
***jeter**, to throw, cast, utter
***jeu**, *m.* play, game, sport, movement, set, hand (of cards); **— d'enfant**, child's play
***jeune**, young; **— fille**, young woman
***jeunesse**, *f.* youth, young people
***joie**, *f.* joy, pleasure
***joindre**, to join, unite
***joli**, pretty, nice, fine
jonchée, *f.* strewing, sprinkling (of flowers), flowers strewn on the ground
joncher, to strew, sprinkle
***jouer**, to play, act
jouet, *m.* plaything, toy
joueur, *m.* player
***jouir (de)**, to enjoy, relish
***jour**, *m.* day, light; **sur tes vieux —s**, in your old age; **un —**, some day
***journal**, (*pl.* **-aux**), *m.* journal, newspaper
journaliste, *m.* journalist, reporter
***journée**, *f.* day
jovi-al, (*pl.* **-aux**), jovial, merry, jolly
***juger**, to judge, consider, find, think
juillet, *m.* July
jupon, *m.* petticoat
jurer, to swear, vow
***jusqu'à**, as far as, up to, even including, to the point of; **— ce que**, until
jusque, up to, as far as, until
jusque-là, until then

***juste**, just
***justement**, justly, precisely
justesse, *f.* justness, accuracy, exactness, truth
***justice**, *f.* justice, law, fairness, integrity

K

kilomètre, *m.* kilometer

L

***la**, the, her, it
***là**, there, here
laboratoire, *m.* laboratory
lâchement, cowardly
là-dessus, thereupon, thereon, about this, above
***laisser**, to leave, let, allow
***lampe**, *f.* lamp
***lancer**, to throw, fling, let go, utter, call forth, launch, start
***langage**, *m.* language, speech
***langue**, *f.* language, tongue
***laquelle**, *see* **lequel**
***large**, broad, wide, ample
largeur, *f.* breadth
larguer, to let go, let run, let out, loosen
***larme**, *f.* tear
laryngographe, *m.* laryngograph
larynx, *m.* larynx
lassitude, *f.* weariness, fatigue
***le**, the, him, it, so
***leçon**, *f.* lesson
lecteur, *m.* reader
***lecture**, *f.* reading
lég-al, (*pl.* **-aux**), legal, lawful
légende, *f.* legend
***lég-er, -ère**, light, slight, soft, gentle
***légèrement**, lightly, slightly, softly, gently
légèreté, *f.* lightness, fickleness, frivolity
légitime, lawful, rightful, justifiable, allowable
léguer, to bequeath
***lendemain**, *m.* next day, following day
***lent**, slow, lingering
***lentement**, slowly
lenteur, *f.* slowness
léonin, unfair (*see note, p. 99*)
***lequel, laquelle, lesquels, lesquelles**, which, who, whom, that; which (one)?
***les**, the, them
***lettre**, *f.* letter; **à la —**, literally
***leur**, to them; **le (la) —, les —s**, theirs; **leur(s)**, theirs
***lever**, to raise, lift; **se —**, get up, arise
levier, *m.* lever, bar
libérer, to liberate, free, release, discharge
***liberté**, *f.* liberty, freedom
libraire, *m.* bookseller
***libre**, free, unconfined
librement, freely, without restraint
licence, *f.* license, licentiousness, laxity; French university degree
***lien**, *m.* bond
***lier**, to tie, bind
***lieu**, *m.* place, spot; **au — de**, instead of, in the place of
lieue, *f.* league (2½ miles)
***ligne**, *f.* line
linguistique, linguistic
liqueur, *f.* liqueur, liquor
***lire**, to read
lisse, smooth, sleek
liste, *f.* list, roll, catalogue
***lit**, *m.* bed
littéraire, literary
littérature, *f.* literature
***livre**, *m.* book
***livrer**, to deliver, betray, give (up)
loc-al (*pl.* **-aux**), local; *m.* locality, place
loger, to lodge, store
***loi**, *f.* law
***loin**, distant, far away; **de fort —**, from a great distance

*lointain, distant, far away
*loisir, *m.* leisure, time, opportunity
Londres, London
*long, longue, long, length, tall; **au — de**, up and down; **à la longue**, in the long run
*longtemps, (for) a long time
longuement, at length, for a long time
longueur, *f.* length
*lorsque, when
loterie, *f.* lottery; **tourniquet de —**, lottery wheel
louable, praiseworthy, commendable
louer, to praise, rent, hire
*lourd, heavy, dull, sultry
loy-al (*pl.* -aux), loyal, faithful
*lui, he, him, to him, (her, it)
*lui-même, he, himself, itself
*lumière, *f.* light
*lune, *f.* moon; **clair de —**, moonlight
lunettes, *f. pl.* glasses, spectacles
*lutte, *f.* struggle, fight
*lutter, to struggle, fight
*luxe, *m.* luxury
lycée, *m.* (French) high-school; **l'âge du —**, high-school age

M

machiavélique, Machiavellian
machination, *f.* machination, plot, scheme
*machine, *f.* machine
*magasin, *m.* store, shop
magazine, *m.* magazine
magistr-al, (*pl.* -aux), magisterial, masterly, dictatorial, authoritative, principal
maillon, *m.* link (small)
*main, *f.* hand; **à la —**, in the hand; **poignée de —**, handshake
*maintenant, now
*maintenir, to maintain, keep up, uphold
*mais, but
*maison, *f.* house, home, household
*maître, *m.* master, teacher, leader, head
*maîtresse, *f.* mistress, teacher, hostess, landlady
majestueu-x, -se, majestic
*mal (*pl.* maux), bad, evil; *adv.* badly, wrongly, poorly
*malade, ill, sick; *m. or f.* sick person patient
maladroit, clumsy, awkward
malaise, *m.* uneasiness, restlessness, uncomfortableness
mâle, male, masculine; *m.* male
malechance, *f.* ill-luck, mishap
malentendu, *m.* misunderstanding
*malgré, in spite of; **— moi**, in spite of myself, without wanting to
*malheur, *m.* misfortune, bad luck, unhappiness; **de —**, evil, ill-omened
malheureu-x, -se, unfortunate, unlucky, unhappy; *m.* poor fellow
malsain, unhealthy, unwholesome, sickly
maman, *f.* mama, mother
manège, *m*, horsemanship, riding-place, merry-go-round
*manger, to eat, eat up
*manière, *f.* manner, way, kind; **à votre —**, in your own way; **de toute —**, in any case; **de — à**, in such a way as to
manoeuvre, *f.* maneuver, strategy, procedure
manoeuvrer, to maneuver, manage, scheme, handle
manque, *m.* lack, need, defect
*manquer, (de), to miss, fail, be wanting, lack
mansuétude, *f.* mildness, gentleness
*marchand, saleable, market; *m.* merchant
*marche, *f.* walk, march, procession, step; **mettre en —**, to start

marché: **à bon —**, cheap, cheaply
*__marcher__, to walk, march, progress, go along, proceed; **faire —**, to set going, start, operate
*__mari__ *m.* husband
*__mariage__, *m.* marriage
marier: **se — à (avec)**, to marry, get (be) married to
maritime, naval, maritime
*__marquer__, to mark, show, stamp
martyre, *m.* martyrdom
masculin, masculine
*__masque__, *m.* mask, pretence
match, *m.* game, match
matérialiste, *m.* materalist
matériaux, *m. pl.* material, materials
maternel, -le, motherly, maternal
mathématicien, *m.* mathematician
*__matière__, *f.* matter, subject, material, substance
*__matin__, *m.* morning; **du —**, A.M.
maudire, to curse, hate, reprove
maudit, cursed, horrible
*__mauvais__, bad, wicked, poor, wrong, ill; **— esprit**, rascal, scoundrel
*__me__, me, myself, for (to, from) me (myself)
mécanique, mechanical
mécanisme, *m.* mechanism, machinery
méchanceté, *f.* wickedness, spite, mischievousness
méconnaître, to fail to recognize, ignore
mécontent, displeased, dissatisfied, discontented
mécontentement, *m.* discontent, dissatisfaction
mécontenter, to displease
*__médecin__, *m.* doctor
médiocre, mediocre, passable, indifferent; **un —**, a mediocre fellow
méditation, *f.* mediation, musing, thought
méditer, to meditate, consider, think over
méfiance, *f.* distrust, suspicion
*__meilleur__, better; **le (la) —(e)**, the best; **à — compte**, cheaper
mélange, *m.* mixture, mingling, blending
*__mêler__, to mix, mingle, blend, involve; **se — à**, to be mixed with, mingle with; **se — de**, to meddle in (with), interfere with
melon, *m.* melon
*__membre__, *m.* member, limb
*__même__, same, self, very; *adv.* even, indeed; **en — temps**, at the same time; **tout de —**, all the same; **de — que**, just as
*__mémoire__, *m.* treatise, article, report; *f.* memory
*__menacer__, to threaten
*__ménage__, *m.* household, family
ménagerie, *f.* menagerie
ment-al (*pl.* **-aux**), mental
*__mépris__, *m.* scorn, contempt
méprisant, scornful, contemptuous
mépriser, to scorn, look down upon
*__mer__, *f.* sea, ocean
*__merci__, *f.* mercy; *m.* thanks; *adv.* thank you, no thank you
mercredi, *m.* Wednesday
mercure, *m.* mercury
*__mère__, *f.* mother
méridion-al, (*pl.* **-aux**), southern
*__mérite__, *m.* merit, worth, skill
*__mériter__, to deserve, merit, earn
merveille: **à —**, marvelously
mesquin, paltry, mean, niggardly, pitiful, shabby
message, *m.* message
*__mesure__, *f.* measure, proportion
*__mesurer__, to measure (off), estimate, consider
métallurgiste, *m.* metallurgist
*__méthode__, *f.* method, system
méthodique, methodical, systematic
*__métier__, *m.* trade, profession, skill
*__mètre__, *m.* meter (about 3.3 feet)
*__mettre__, to put, put on, place; **— en**

marche, to start; — en mouvement, to start; — en pension, to board; — dans le domaine public, to declare public property; — au rancart, to cast aside; se — à, to start, set about
*meuble, *m.* piece of furniture; *pl.* furniture
meublé, furnished
meurtrir, to bruise
microphone, *m.* microphone
*mieux, better; le —, the best; de mon —, as well as I could
*milieu, *m.* middle, environment, surroundings; au — de, in the middle of
*mille, a thousand
milliardaire, *m.* billionaire
millième, thousandth
*millier, *m.* thousand
*million, *m.* million
*mine, *f.* mine, plot
minim-um, -a, minimum; *m.* minimum
ministère, *m.* ministry (of Education, etc.)
*ministre, *m.* minister
minuscule, small, tiny, meager
*minute, *f.* minute
miracle, *m.* miracle, marvel; par — by miracle, by enchantment, miraculously
miraculeu-x -se, miraculous, marvelous
miroir, *m.* mirror
mise en marche, *f.* setting in motion, starting
mobile, movable, changing
mobiliser, to mobilize
mobilisation, *f.* mobilization
*mode, *f.* fashion, style, mode; à la —, in style, popular
modèle, *m.* model
modeler, to model, shape, form, mold
modération, *f.* moderation
*moderne, modern, up-to-date
modique, moderate, small
*moeurs, *f. pl.* manners, customs, habits
*moi, I, me, to me, myself
moi-même, myself
*moindre, less; le (la) —, (the) least, (the) slightest, smallest, minutest
*moins, less; le —, the least; au —, at least; à — que, unless
*mois, *m.* month
moissonneuse, *f.* reaping-machine
mollesse, *f.* softness, laxity, indolence
*moment, *m.* moment, instant
*mon, ma, mes, my
monarchie, *f.* monarchy
*monde, *m.* world, society
monologue, *m.* monologue
monotone, monotonous
monstrueu-x, -se, monstrous, prodigious
*monter, to go up, climb, mount; se —, to get excited
montre, *f.* watch
*montrer, to show, point out; se —, to show oneself, to be, to appear
*moquer, to ridicule, make fun of; se — de, to make fun of; Je me moque bien de, I don't care a bit for
*mor-al, (*pl.* -aux), moral, mental
morale, *f.* morals, ethics
moraliste, *m.* moralist
mordre, to bite; — à, to take to
morne, gloomy, mournful, dismal
*mort, *f.* death
mortel, -le, mortal, deadly
*mot *m.* word
motif, *m.* motive, reason
motion, *f.* motion
*mourir, to die
*mouvement, *m.* movement, impulse; mettre en —, to start; — d'horlogerie, clock-work
*moyen, -ne, mean, average, middle;

m. means, resources; **au — âge**, in the Middle Ages; **au — de**, by means of
muet, -te, mute, silent, dumb, speechless
multicolore, multicolored
multiple, multiple
***mur**, *m.* wall
***muraille**, *f.* (large) wall
murmure, *m.* murmur
murmurer, to murmur, mutter, whisper
***musique**, *f.* music
mutation, *f.* change
mutisme, *m.* speechlessness, silence
***mystérieu-x, -se**, mysterious

N

***naï-f, -ve**, simple, unaffected, unsophisticated, childish
***naissance**, *f.* birth
***naître**, to be born
nappe, *f.* tablecloth
narrateur, *m.* narrator
naturaliste, *m.* naturalist
***nature**, *f.* nature, character; **de toute —**, of all sorts
***naturel, -le**, natural, unaffected, native
***naturellement**, naturally, of course
nausée, *f.* nausea, disgust
navré, broken-hearted, sorry, distressed
***nécessaire**, necessary
négligemment, negligently, carelessly
***négliger**, to neglect, be careless of
négociation, *f.* negociation, transaction
négresse, *f.* negress
nerf, *m.* nerve
***net, -te**, clean, neat, clear; *adv.* clearly, frankly
***neuf**, nine
***neu-f, -ve**, new
neurasthénie, *f.* neurasthenia
***nez**, *m.* nose
***ni . . . ni**, neither . . . . . nor
nier, to deny
***noble**, noble
nocturne, nightly, nocturnal
Noël: carte de —, Christmas card
***noir**, black, dark
***nom**, *m.* name
***nombre**, *m.* number
***nombreu-x, -se**, numerous
nominal: faire l'appel —, to call the roll
***nommer**, to name, call (by name), appoint; **se —**, to be named, be called
***non**, no, not; **— plus**, neither, not either
***norm-al, (*pl.* -aux)**, normal
normand, Norman
Normandie, *f.* Normandy
nostalgie, *f.* homesickness, nostalgia, longing
***note**, *f.* note, mark, bill
***noter**, to note, notice, note down, put on paper
notoire, notorious
***notre, (*pl.* nos)**, our
nôtre: le (la) —, les —s, ours
nougat, *m.* nougat
nourrir, to feed, nourish
nourriture, *f.* food, nourishment
***nous**, we, us, to us, ourselves
***nouveau, (nouvel, nouvelle, nouveaux)**, new, recent, novel; **de —**, again, anew
***nouvelle**, *f.* tale, story, novelette; *pl.* news
***noyer**, to drown, sink, flood
***nuit**, *f.* night; **— d'insomnie**, sleepless night
***nul, -le**, no, not any
***nullement**, in no way, not at all
numéro, *m.* number, issue

O

***obéir (à)**, to obey, comply with
objection, *f.* objection

***objet,** *m.* object
***obliger,** to oblige, compel
***obscur,** dark, obscure, indistinct
obscurité, *f.* obscurity, darkness, gloom
observable, observable
observateur, *m.* observer, looker-on
***observation,** *f.* observation, remark
***observer,** to observe, watch; **faire — à,** to call to one's attention
***obtenir,** to obtain, secure, acquire, get
obus, *m.* shell (*mil.*)
***occasion,** *f.* occasion, opportunity, chance
***occuper,** to occupy, concern; **s' — de,** to attend to, look after, be engaged in, take in hand, to be concerned with
océan, *m.* ocean, sea
octogénaire, *m.* or *f.* octogenarian (person between 80 and 90 years of age)
odieu-x, -se, hateful, disgusting, offensive
***oeil,** (*pl.* **yeux**), *m.* eye; **coup d' —,** glance
***oeuvre,** *f.* work
offensive, *f.* offensive, attack
offert, offered, proposed
***officiel, -le,** official
***officiellement,** officially
***officier,** *m.* officer
offre, *f.* offer
***offrir,** to offer, propose
***oiseau,** *m.* bird
***ombre,** *f.* shade, shadow, darkness
***on,** one, they, we, you, people
***oncle,** *m.* uncle
onction, *f.* unction, smoothness
onctueu-x, -se, unctuous, oily
onde, *f.* wave
onzième, eleventh
***opération,** *f.* operation
opérer, to operate, perform, bring about
opérette, *f.* operetta
opinion, *f.* opinion, view
opposant, *m.* opponent
***opposer,** to oppose
opposition, *f.* opposition
opportun, opportune, expedient, timely
***or,** now, well; *m.* gold
***orage,** *m.* storm, tempest
orateur, *m.* orator, speaker
oratoire, oratorical
***ordinaire,** ordinary, customary, usual; **à l' —,** as usual
***ordonner,** to order
***ordre,** *m.* order, command
***oreille,** *f.* ear
organe, *m.* organ
organisatrice, *f.* organizer
***organiser: s' —.** to be organized
orgue, *m.* organ
***orgueil,** *m.* pride, conceit
***origin-al,** (*pl.* **-aux**), queer, odd, original, eccentric
***oser,** to dare, venture
***ôter,** to remove, take off
***ou,** or
***où,** where, when; **par —,** which way
oubli, *m.* oblivion, forgetfulness
***oublier,** to forget
***oui,** yes
***outre,** beyond, besides; **en —,** in addition, besides, moreover
***ouvert,** open, opened
***ouverture,** *f.* opening
***ouvrage,** *m.* work; **— d'imagination,** creative work
***ouvrir,** to open
oxygène, *m.* oxygen

P

***page,** *f.* page
paiement, *m.* payment
pair, *m.* peer, equal, associate
***paix,** *f.* peace, peacefulness
***palais,** *m.* palace, (large) building, palate

panne, *f.* accident, breakdown
***papier**, *m.* paper
paquebot, *m.* steamer, boat
***paquet**, *m.* package, parcel
***par**, by, through, a, for, per; **— où**, which way
***paraître**, to appear, seem
paralysie, *f.* paralysis
parapet, *m.* parapet, breastwork
parasite, parasitic, superfluous, unwanted
***parce que**, because
pardessus, *m.* overcoat
***pardon**, *m.* forgiveness, pardon
paré, decorated, adorned
***parent**, *m.* parent, relative
paresseu-x, -se, lazy
***parfait**, perfect, fine
***parfaitement**, perfectly, certainly, exactly
***parfois**, sometimes, occasionally
***parfum**, *m.* perfume, fragrance
***parler**, to speak, talk
***parmi**, among
parodie, *f.* parody
***parole**, *f.* word, speech
***part**, *f.* part, portion, share; **à —**, except for; **d'une — . . . d'autre —**, on the one hand . . . on the other; **quelque —**, somewhere; **prendre — à**, to take part in; **de ta —**, for you, on your behalf
***partager**, to share, divide
***parti**, *m.* party, faction; **par prendre mon —**, by siding with me; **tirer — de**, to make something of, use
***particuli-er, -ère**, private, special, particular, peculiar
***partie**, *f.* part, game, party; **— carrée**, party consisting of two men and two women; **faire — de**, to be a member of
***partir**, to depart, set out, start; **— de**, to leave
***partisan**, *m.* partisan, follower, member
***pas**, *m.* step, pace; **faire un —**, to take a step, walk; **d'un — rapide**, rapidly; *adv.* no, not, not any; **ne . . . —**, not; **— du tout**, not at all
***passage**, *m.* passage, passing, going
***passé**, *m.* past
***passer**, to pass, go by, spend, take (an examination or degree); **se —**, to take place, happen; **se — de**, to do without, get along without; **— à** (+ *inf*), to spend in (+ -ing)
***passion**, *f.* passion
passionnément, passionately, fondly, tremendously
paternel, -le, paternal, fatherly
***patience**, *f.* patience
patient, *m.* patient, victim
patriotisme, *m.* patriotism
***patron**, *m.* patron, employer, boss
paume, *f.* palm (of the hand)
***pauvre**, poor, wretched
***payer**, to pay, pay for
***pays**, *m.* country, native land, region, district
***paysan, - ne**, peasant, peasant-like
péché, *m.* sin
pédagogie, *f.* pedagogy, education
pédagogue, *m.* pedagogue, educator, teacher
***peine**, *f.* suffering, pain, grief, difficulty, trouble; **à —**, scarcely; **avoir — à**, to have trouble (difficulty) in
peint, painted
peinture, *f.* painting, picture
pèlerin, *m.* pilgrim
pellicule, *f.* film
pelouse, *f.* lawn
***pencher**, lean, bend, incline; **se —**, to bend over
***pendant**, during, for; **— que**, while
***pénétrer**, to penetrate, break into, pierce, get into, enter
***pénible**, painful, hard, trying, difficult
pensant: bien —, right thinking

***pensée,** *f.* thought, idea, opinion
***penser,** to think, conceive, imagine; **— à (de),** to think of
penseur, *m.* thinker
pension: mettre en —, to board
Pensylvanie, *f.* Pennsylvania
***percer,** to pierce, break through
***perdre,** to lose, waste, destroy
***père,** *m.* father
perfectionnement, *m.* perfecting, improvement
perfectionner, to perfect
perfide, treacherous, false
perfidie, *f.* treachery, falseness
périmé, out-of-date, antiquated
période, *f.* period (of time), age, era
permanent, permanent, lasting
***permettre (à),** to permit, allow
perpétuel, -le, perpetual, everlasting
perplexité, *f.* perplexity
perroquet, *m.* parrot
perruche, *f.* hen-parrot
***personnage,** *m.* person, important individual, character
***personne,** *f.* person, individual; **ne . . . —,** nobody, no one, not any one
***personnel, -le,** personal, private; *m.* personnel, staff of employees
***persuader,** to persuade, convince
***perte,** *f.* loss, ruin, doom
***peser,** to weigh, ponder
***petit,** little, small
***peu,** *m.* little, few, bit; *adv.* little, few; **un —,** a little, slightly, somewhat, **à — près,** almost, about; **— importe,** it matters little
***peuple,** *m.* people, common people, nation
peupler, to people, populate, inhabit
***peur,** *f.* fear, fright; **avoir —,** to be afraid
peureu-x, -se, timid, fearsome
***peut-être,** perhaps, possibly
pharmaceutique, pharmaceutical
***phénomène,** *m.* phenomenon
philosophale: pierre —, philosopher's stone
philosophe, *m.* philosopher; *adj.* philosophical
philosophie, *f.* philosophy
photoélectrique, photoelectric
photographe, *m.* photographer
photographie, *f.* photograph, photography
photographique, photographic
***phrase,** *f.* sentence, words, phrase
physicien, *m.* physicist
physiologique, physiological
***physique,** *f.* physics; *adj.* physical
pianoter, to tap, strum (with fingers)
***pied,** *m.* foot; **à —,** on foot; **coup de —,** kick
pierre: — philosophale, philosopher's stone
pieu-x, -se, pious, religious
pilonné, driven in, pounded in
piloter, to pilot, guide, steer
pionnier, *m.* pioneer
piquer: se — de, to take pride in
piquet, *m.* peg
***pis: tant —,** so much the worse
pistolet, *m.* pistol
***pitié,** *f.* pity, compassion
pittoresque, picturesque; *m.* picturesqueness, picturesque pattern
***place,** *f.* place, seat, spot, square, position, job
***placer,** to place, put
***plaindre,** to pity; **se — (de),** to complain (about)
***plaine,** *f.* plain, field
***plainte,** *f.* complaint, sigh, groan
plaire: (à), to please; **elle lui plaît,** he likes her; **se — à,** to take delight in; **s'il vous plaît de,** if you care to
plaisamment, pleasantly, agreeably
plaisant, funny, agreeable, pleasing
plaisanterie, *f.* joke
***plaisir,** *m.* pleasure
***plan,** *m.* plan, map
platitude, *f.* platitude, flatness

***plein,**, full, filled
***pleurer,** to cry, weep, mourn
pleuvoir, to rain
***plupart: la — de,** most of
***plus,** more, plus; **le (la, les) —,** the most; **plus . . . plus,** the more . . . the more; **ne . . . —,** no more, no longer; **non —,** neither, not either; **moi non —,** neither do, (can) I; **au — vite,** as quickly as sible; **d'autant — que,** so much the more since; **de — en —,** more and more; **un . . .de plus,** one more, an additional
***plusieurs,** several
***plutôt,** rather, sooner; **— que,** rather than
***poésie,** *f.* poetry
***poète,** *m.* poet
poignée, *f.* **— de main,** handshake
***point,** point, mark, spot; **ne . . . —,** not, not at all
pointu, pointed, sharp
poison, *m.* poison
pôle, *m.* pole, attraction
***politique,** political; *m.* politician, statesman; *f.* politics, policy
pommier, *m.* apple tree
pondération, *f.* ponderation, equilibrium
***pont,** *m.* bridge, deck
pontife, *m.* pontiff, tycoon
pontifiant, pontifical, pompous, ceremonious
pontifical (*pl.* **-aux**), pontifical, papal
***populaire,** popular, common
population, *f.* population
portant: bien —, in good health
portati-f, -ve, moveable, portable
***porte,** *f.* door
portée: à — de, within the reach of, within the range of
***porter,** to carry, wear, bear
porto, *m.* port (Portuguese) wine
***portrait,** *m.* portrait
***poser,** to place, put, set down, ask (a question), announce
***position,** *f.* position, situation
***posséder,** to possess, have, own
***possible,** possible; **le plus tôt —,** as early as possible
post-al, (*pl.* **-aux**), postal
***poste,** *m.* post, mail, position
poteau, *m.* post, stake; **— indicateur,** finger-post, sign-post
poterie, *f.* pottery
pouce, *m.* thumb, inch
***pour,** for, to, in order to, per; **— que** in order that, so that
***pourquoi,** why
***pourtant,** however, yet
pourvu que, provided that
***pousser,** to push, drive, urge, grow
***pouvoir,** to be able, can, may; *m.* power
prairie, *f.* field, meadow
***pratique,** practical; *f.* practice
préalable, preliminary, previous
précédent, preceding, foregoing
prêcher, to preach, exhort, praise
***précieu-x, -se,** precious, costly, affected
***précis,** precise, exact
***précisément,** precisely, exactly
***précision,** *f.* precision, preciseness
***préférer,** to prefer
préjugé, *m.* prejudice
***premi-er, -ère,** first, foremost
***prendre,** to take, get, seize, assume; **— en grippe,** to take a violent dislike to; **— une décision,** to make a decision; **par — mon parti,** by siding with me; **— goût à,** to take a liking for; **se — à,** to catch, seize, begin; **— à son compte,** to accept responsibility for; **— la taille,** to put one's arm around the waist; **— garde,** to take care, to be careful; **— feu,** to flare up; **— part à,** to take part in; **— au sérieux,** to take seriously; **à tout —,** on the whole, all in all

préoccuper, to preoccupy, absorb, engross
préparateur, *m.* preparer, "lab" assistant
***préparation,** *f.* preparation
***préparer,** to prepare, get ready
préraphaëlite, Pre-Raphaelite
***près,** near, nearby, at, with; **— de,** near, close to; **à peu —,** almost, nearly, about
prescrire, to prescribe, set
***présence,** *f.* presence, attendance, appearance
***présent,** present; *m.* present, gift
***présenter,** to present, offer, introduce
présidence, *f.* presidency, chairmanship
***président,** *m.* president, chairman
présidentiel, -le, presidential
***presque,** almost, nearly
presse, *f.* crowd, haste, pressure, press
presser: se —, to crowd, hurry
prestige, *m.* prestige, influence
présumer, to presume, suppose
***prêt,** ready
***prêter,** to lend, give
***prétexte,** *m.* pretext, pretence, excuse
***preuve,** *f.* proof
***prévenir,** to anticipate, prevent, forewarn, inform beforehand
prévention, *f.* prejudice
***prévoir,** to forsee, anticipate
***prier,** to pray, beg, request
***princip-al,** (*pl.* **-aux**), chief, main
principauté, *f.* principality
***principe,** *m.* principle
***prise,** *f.* taking, sound-taking
***prison,** *f.* prison
***prisonnier,** *m.* prisoner
***privé,** private, familiar, intimate
priver (de), to deprive (of)
***prix,** *m.* price, cost, value, prize; **— de revient,** net cost
probable, probable
***problème,** *m.* problem
***procédé,** *m.* procedure, process
***procéder (à),** to proceed (to), go on (with)
procès, *m.* lawsuit, trial
***prochain,** near, approaching, next, neighboring
prodigieu-x, -se, prodigious, tremendous, remarkable, stupendous
prodigieusement, tremendously, wonderfully, remarkably
***produire,** to produce, bring forth
produit, *m.* product
proférer, to utter, pronounce
professeur, *m.* professor
profession, *f.* profession
professionnel, -le, professional
***profit,** *m.* profit, gain, benefit, advantage
***profiter, (de),** to profit, profit by, benefit, take advantage of
***profond,** profound, deep
***profondeur,** *f.* depth
***programme,** *m.* program, course (of study)
prohibition, *f.* prohibition
***projet,** *m.* plan
projection, *f.* projection
projeter, to plan
prolongation, *f.* prolongation, extension
***prolonger, (de),** to prolong, extend (by)
***promenade,** *f.* walk, drive, ride
***promettre,** to promise
promotion, *f.* promotion, class
***prononcer,** to pronounce, declare, say, utter
prononciation, *f.* pronunciation
propagande, *f.* propaganda
***propos,** *m.* remark, talk, conversation, word; **à — de,** with respect to; **à tout —,** at every opportunity
***proposer,** to propose, offer
***proposition,** *f.* proposal, offer, proposition, motion

***propre**, own, clean, nice, fine; **— à**, suitable for, for the purpose of
***propriétaire**, *m.* proprietor, owner
***propriété**, *f.* property, estate
prospère, prosperous
***protection**, *f.* patronage, protection
***protester**, to protest
***prouver**, to prove, show
provençal, *m.* Provençal language
providence, *f.* providence, foresight
***province**, *f.* province; **de —**, provincial (in opposition to the capital)
prudemment, prudently
prudence, *f.* prudence
prudent, prudent
pruderie, *f.* prudery, prudishness
pseudo-saint, *m.* pseudo-saint
pseudo-savant, *m.* pseudo-scholar
psychogramme, *m.* psychogram
psychographe, *m.* psychographer, psychograph
psychographier, *m.* to psychograph
psychographique, psychographic
psychologue, *m.* psychologist
***public, publique**, public; *m.* public
publicité, *f.* publicity
***publier**, to publish, expose
***puis**, then, next, besides
***puisque**, since, as
***puissance**, *f.* power, strength, force
***puissant**, powerful, mighty
***pur**, pure, clear, straight
pureté, *f.* purity
puritain, *m.* Puritan; *adj.* puritanical
puritanisme, *m.* Puritanism
Pythie, *f.* Pythia (priestess of Apollo)

Q

quai, *m.* wharf
quaker, *m.* Quaker
***qualité**, *f.* quality, capacity
***quand**, when, even if
***quant à**, as for
quarantaine, *f.* about forty
***quart**, *m.* quarter
***quartier**, *m.* quarter, district
quartorze, fourteen
***quatre**, four
***que**, *conj. and adv.* that, than, as, until, when; **ne . . . que**, only, but, except; *pron.* whom, which, that; **ce —**, that which, what; what?; **qu'est-ce — (qui)**, what?; **— de**, what
***quel, -le**, what, which, who, what a
***quelconque**, any, whatever, of any kind, any whatever
***quelque**, some, any, a few
***quelquefois**, sometimes
querelle, *f.* quarrel
***question**, *f.* question, issue, matter, subject
***qui**, who, whom, which, that; **ce —**, that which, what; **de —**, of whom, whose; who?, whom?
quinzaine, *f.* fortnight, two weeks
***quinze**, fifteen
***quitter**, to leave, give up, take off, lay aside
***quoi**, which, what, that, what? **eh —!** well! what!
***quoique**, although
quotidien, -ne, daily

R

***race**, *f.* race, species
***raconter**, to tell, narrate
radicalisme, *m.* Radicalism
radio, *f.* radio
raid, *m.*: **— d'avion, air raid**
raide, stiff, rigid
***raison**, *f.* reason, motive; **avoir —**, to be right
***raisonnable**, reasonable, sensible, fair, adequate, just, moderate
ralenti: au —, slowly
rancart: mettre au —, to cast aside
rancune, *f.* rancor, spite, grudge, ill-will
***ranger**, to arrange, set in order; **se — à**, to side with

ranimer: se —, to revive, come to life again
rapacité, *f.* rapacity, greediness
***rapide**, rapid, fast, swift
***rapidement**, rapidly, quickly, swiftly
rapidité, *f.* rapidity, swiftness
***rappeler**, to recall, call, remind; **se —**, to remember
***rapport**, *m.* report, relation, relationship, connection
***rapporter**, to bring back, relate; **se — à**, to refer to
***rapprocher**, to bring nearer together (again); **— qqn. de**, to bring someone closer to
***rare**, rare, scarce
***rarement**, rarely, seldom
rasé, shaved
rasseoir: se —, to sit down again
***rassurer**, to reassure, encourage
ratisser, to rake, clean
ravissant, delightful, charming, enchanting
rayé, stricken
***rayon**, *m.* ray, shelf
réaction, *f.* reaction
réagir, to react
réalisation, *f.* realization, profit-taking
***réaliser**, to realize, carry out, bring about, profit
réaliste, realistic; *m.* realist
***réalité**, *f.* reality, truth
rebâti, rebuilt
rebelle, rebellious, unyielding; *m.* rebel
rébellion, *f.* rebellion, revolt
réception, *f.* reception, party
***recevoir**, to receive, get
***rechercher**, to search for, investigate
***recherches**, *f.pl.* research
récif, *m.* reef
***récit**, *m.* account, tale (usually in the first person)
réciter, to recite, utter, tell
***réclamer**, to claim, beg, call upon, demand
***recommander**, to recommend, urge, advise, request
récompensé, rewarded, recompensed
réconciliation, *f.* reconciliation
réconcilier: se —, to be (become) reconciled
***reconnaître**, to recognize, admit, discover
reconquérir, to reconquer, recover, regain
reconstituer, to reconstruct, reconstitute, rebuild
reconter, to tell again, relate over again
recours, *m.* recourse
recouvert (de), covered (with), concealed
recteur, *m.* rector, director, president (of a university)
***recueillir**, to collect, gather, pick
recul, *m.* recoil, retreat
rédacteur, *m.* editor
redevance, *f.* royalty
***redevenir**, to become again
rédigé, edited, worded
***redoutable**, fearful, dreadful
***réduire**, to reduce, diminish
réduit, reduced; *m.* redoubt, fortification (enclosed)
***réel, -le**, real, actual, true
***réellement**, really, actually
référence, *f.* reference
***réfléchir**, to reflect, think, consider
***réflexion**, *f.* reflection, idea, thought
réforme, *f.* reform, change
refuge, *m.* refuge
réfugier: se —, to take refuge
***refuser**, to refuse, decline, reject; **se — à**, to refuse
regagner, to regain, recover, return to
***regarder**, to look at, watch
***régime**, *m.* regime, rule, system
***région**, *f.* region, district

régir, to govern, rule, administer
***régler**, to rule, regulate, put in order, settle
règne, *m.* reign
***régner**, to reign, rule, prevail
***regret**, *m.* regret, sorrow
***regretter**, to regret, be sorry, miss
***réguli-er, ère**, regular, orderly, even
***rejoindre**, to join again, meet again, reunite
rejouer, to play again, gamble again
relati-f, -ve, relative, relating
relativement, relatively
***relever**, to raise, lift up; **— de**, to depend upon
***religion**, *f.* religion
remâcher, to chew again, turn over in one's mind, "rehash"
***remarquable**, remarkable, notable, conspicuous, worthy of note
***remarquer**, to notice, observe, remark; **faire — à**, to call to one's attention
remède, *m.* remedy, cure
***remercier**, to thank
***remettre**, to put back, hand over, restore, postpone
***remonter**, to go up, rise again, go back to
***remords**, *m.* remorse
remplaçant, *m.* substitute
***remplacer**, to replace, take the place of, substitute
***remplir**, to fill, fill up, replenish, fulfill, accomplish
***rencontre**, *f.* meeting, encounter
***rencontrer**, to meet, encounter
rendez-vous, *m.* appointment
***rendre**, to return, give back, yield, make; **se — à**, to go to; **se — compte de**, to realize; **— visite à**, to call on
***renoncer (à)**, to renounce, give up
renouer, to tie (up) again
***rentrer**, to re-enter, return (home), bring back
***renvoyer**, to send back (away)
***répandre**, to pour out, scatter, spread
réparation, *f.* reparation, amends, atonement, satisfaction
reparler, to speak again
***repas**, *m.* meal, dinner
repéré, "spotted"
***répéter**, to repeat, rehearse
répit, *m.* respite
replonger: se —, to fall back into
***répondre (à)**, to answer, reply, give an answer
***réponse**, *f.* answer, reply
reporter, to take (carry, bring) back, return; *m.* reporter
***repousser**, to push back, repulse, repel, resist, reject
***reprendre**, to take up again, resume, continue, begin again, reply, recover, get
représentant, *m.* representative
***représenter**, to represent, portray, depict
***reproche**, *m.* reproach, blame; **lui faire des — s sur**, to reproach one for; **sans —**, reproachless, blameless
***reprocher**, to reproach, blame
reproduire, to reproduce
républicain, republican
***réputation**, *f.* reputation, fame, repute
requête, *f.* request, application
***réserve**, *f.* reserve, reservation, caution
***réserver**, to reserve, save
résistance, *f.* resistance, opposition
***résister (à)**, to resist, oppose
résolu, resolved, decided
***résoudre**, to solve
***respect**, *m.* respect
respectable, respectable, respected,
***respecter**, to respect
respectueusement, respectfully
respiration, *f.* breathing

***respirer**, to breathe
responsabilité, *f.* responsibility
responsable, responsible
ressemblant, a good likeness
***ressembler (à)**, to resemble, look like
ressentir, to feel, experience, show
ressort, *m.* spring
***ressource**, *f.* resource, means, income
restant, *m.* remainder
***reste**, *m.* rest, remainder
***rester**, to remain, stay; **— court**, to stop short
restreint, restrained, restricted, limited
***résultat**, *m.* result, outcome
résumer, to sum up, resume
***retard**, *m.* delay, tardiness
***retenir**, to hold back, retain
retiré, secluded, lonely
***retour**, *m.* return
***retourner**, to return
***retraite**, *f.* retreat, refuge, pension, retirement; **battre en —**, to retreat; **prendre sa —**, to retire
rétribué, rewarded, recompensed
rétrospecti-f, -ve, retrospective, looking backward
***retrouver**, to find again, recover, meet
***réunion**, *f.* meeting, reunion
***réunir**, to reunite, bring together, gather, meet, join, connect; **se —**, to meet
***réussir (à)**, to succeed (in)
réussite, *f.* success
***rêve**, *m.* dream
réveil, *m.* waking, awakening
révéla-teur, -trice, revealing
révélation, *f.* revelation, disclosure
***révéler**, to reveal, disclose
***revenir**, to return, come back
revenu, *m.* revenue, income
***rêver**, to dream, muse, reflect
rêverie, *f.* dreaminess, day-dreaming, revery, dream, musing
***revêtir**, to clothe, invest
revient: prix de —, net cost
***revoir**, to see again, review; **au —**, good-bye
***révolution**, *f.* revolution
revue, *f.* review, journal, magazine
***riche**, rich, wealthy, costly
***richesse**, *f.* riches, wealth
***ridicule**, ridiculous; *m.* ridicule, ridiculousness, ridiculous thing
***rien**, nothing, anything; **ne . . . —**, nothing; **— du tout**, nothing at all, **en —**, in no way; **il n'en est rien**, such is not the case
rigoureu-x, -se, harsh, strict, severe, precise
***rire**, to laugh
risque, *m.* risk, danger
rite, *m.* rite
riv-al (*pl.* **-aux**), rival; *m.* rival
***rivière**, *f.* river
***robe**, *f.* dress, gown
rocher, *m.* rock
***roi**, *m.* king
***rôle**, *m.* rôle; **jouer un —**, to play a part
romain, Roman
roman, *m.* novel, story
romancier, *m.* novelist, author
romane: langue —, Romance language
romanesque, romantic, fanciful
romantique, romantic
***rompre**, to break, break off
rosaire, *m.* rosary
roué, *m.* roué, rake, profligate
rouennais, of (from, pertaining to) Rouen
***rouge**, red
***rougir**, to redden, blush
rouleau, *m.* roll, roller
***rouler**, to roll
***route**, *f.* road, path, route
rouvrir, to reopen, open again
royalisme, *m.* royalism

***rue**, *f.* street
rugby, *m.* rugby
***ruine**, *f.* ruin, destruction, decay; **en —**, in ruins
ruineu-x, -se, ruinous, excessively expensive

S

***sacré**, sacred
***sage**, wise, sensible, prudent, virtuous, well-behaved, good
sagesse, *f.* wisdom, prudence
***sain**, healthy, wholesome
***saint**, *m.* saint
***saison**, *m.* season
***salle**, *f.* hall, room; **— de conférences**, lecture-room; **— à manger**, dining-room
***salon**, *m.* drawing-room, living-room, parlor
salubre, wholesome, healthful
***saluer**, to greet, bow to, say good-bye to
samedi, *m.* Saturday
***sans**, without; **— que**, without
***santé**, *f.* health; **faire une — à qqn.**, to make one healthy
satire, *f.* satire
satisfaction, *f.* satisfaction, amends, gratitude
satisfaire, to satisfy, please, gratify
satisfait, satisfied, contented
sauf, except, save
saut, *m.* jump, leap, hop
***sauvage**, savage, wild
***sauver**, to save, rescue
***savant**, learned, clever; *m.* scholar, learned man, scientist
saveur, *f.* savor, smell, flavor
***savoir**, to know, know how to, learn, can; **pas que je sache**, not that I know of
***scène**, *f.* scene
***science**, *f.* science, knowledge
scientifique, scientific
scolaire, academic
***scrupule**, *m.* scruple, qualm; **sans —s**, unscrupulous
scrupuleu-x, -se, scrupulous, strict, precise
***se**, (to) oneself (himself, herself, itself, themselves), (to) each other
***séance**, *f.* meeting, session, sitting
***sec, sèche**, dry, thin
sèchement, dryly, curtly
séchoir, *m.* dryer
***second**, second
***seconde**, *f.* second
seconder, to assist, support, promote, second
***secouer**, to shake
***secours**, *m.* aid, help
***secr-et, -ète**, secret; *m.* secret; **en —**, secretly
***secrétaire**, *m.* or *f.* secretary
secrètement, secretly, privately
sécréter, to secrete
sécurité, *f.* security, confidence
séduire, to seduce, charm, fascinate, delight
séduisant, charming, fascinating, delightful
***seigneur**, *m.* lord, squire
seize, sixteen
séjour, *m.* sojourn, stay, visit, place to live
***selon**, according to
***semaine**. *f.* week
***semblable (à)**, similar (to), like; *m.* fellow-man
semblant: faire — de, to pretend
***sembler**, to seem, appear, look; **il (me) semble** *or* **me semble-t-il**, it seems
séminaire, *m.* seminar
***sens**, *m.* sense, understanding, meaning, direction
***sensation**, *f.* sensation, feeling
***sensible**, sensitive, susceptible
sensualité, *f.* sensuality
***sentiment**, *m.* feeling, emotion, sensation

sentinelle, *f.* sentinel, sentry
***sentir,** to feel, be conscious of, smell; **se —,** to feel
séparation, *f.* separation, parting
***séparer,** to separate, part
***sept,** seven
***septembre,** *m.* September
septième, seventh
séquestrer, to shut up, imprison, confine
***série,** *f.* series; **fabrication en —,** mass production
***sérieusement,** seriously, gravely
***sérieu-x, -se,** serious, grave; *m.* seriousness; **prendre au —,** to take seriously
serment, *m.* oath, vow
sermon, *m.* sermon, lecture
***serré,** tight, narrow, pressed
***service,** *m.* service; **—s de vente,** sales office
***servir (de),** to serve (as), be used (as), aid; **se — de,** to use; **— à,** to be useful for
***serviteur,** *m.* servant
***seul,** alone, sole, single, only, the only one
***seulement,** only, merely, however
***sévère,** severe, stern, strict
sévèrement, severely, strictly, sternly, harshly
sévérité, *f.* severity, sternness; **avec —,** strictly, severely
sévir, to rage
sexe, *m.* sex
shériff, *m.* sheriff
***si,** if, what if, supposing, yes
***siècle,** *m.* century
***siège,** *m.* seat, chair
***sien: le (la) — (ne); les siens (siennes),** his, hers, its
signal, *m.* signal
signaler, to signal, indicate, point out
***signe,** *m.* sign, gesture
***signifier,** to signify, mean
***silence,** *m.* silence, stillness, period (moment, *etc.*) of silence; **garder le —,** to keep silence
***silencieu-x, -se,** silent, still, quiet
***simple,** simple, plain, common, unimportant
***simplement,** simply, just, merely; **tout —,** that's all, quite simply
sincère, sincere, open-hearted
sincèrement, sincerely
sincérité, *f.* sincerity
***singuli-er, -ère,** singular, strange, odd, peculiar
sinistre, sinister, dismal
***sinon,** if not, else, or else, otherwise
siriate, Sirian, pertaining to Sirius; **Siriate,** *m.* Sirian, inhabitant of Sirius
***situation,** *f.* situation, condition, position, state
***situer,** to situate, place, locate
***six,** six
snobisme, *m.* snobbishness
sobre, sober, moderate
***soci-al** (*pl.* **-aux**), social
***soeur,** *f.* sister
***soi,** oneself, herself; **cela va de —,** that goes without saying
soigneusement, carefully, attentively
***soin,** *m.* care, attention; *pl.* pains, care
***soir,** *m.* evening, night
***soirée,** *f.* evening, party
soit, so be it, all right
***soixante,** sixty
soixante-dix, seventy
***solennel, -le,** solemn
solidarité, *f.* solidarity
***solide,** solid, strong, firm, healthy
***solitude,** *f.* solitude, loneliness
solliciteur, *m.* sollicitor
sollicitude, *f.* sollicitude, care
***somme,** *f.* sum, amount; **en —,** in short, to sum up
***sommeil,** *m.* sleep; **sans —,** sleepless

***son, sa, ses,** his, hers, its
***son,** *m.* sound
songe, *m.* dream
***songer,** to dream, muse, think
***sonner,** to ring, resound, strike
sonore, sonorous, loud
sophistiqué, sophisticated
sordide, mean, sordid, filthy
***sorte,** *f.* kind, sort, way, manner; **de — que,** so that, in such a way that
***sortie,** *f.* going out, exit, departure, leaving
***sortir,** to go out, leave, come (out)
sottise, *f.* foolishness, folly
***souci,** *m.* care, worry, concern
***soudain,** sudden, unexpected; *adv.* suddenly
souffrant, ill, suffering
***souffrir,** to suffer, bear, endure
souhaitable, desireable
***souhaiter,** to wish, desire
soulagement, *m.* relief, comfort
***soulever,** to raise, stir up
souligner, to underline, emphasize, italicize
***soumettre (à),** to submit, overcome, subject (to)
soupçon, *m.* suspicion
***soupçonner,** to suspect, be under suspicion
***soupir,** *m.* sigh
***source,** *f.* source, spring
sourcil: froncement de —, knitting of the brows, scowl
***sourd,** deaf, dull, indistinct
***sourire,** to smile
***sous,** under
sous-marin, submarine, submerged
sous-sol, *m.* basement
***soutenir,** to sustain, support, maintain
souterrain, subterranean, underground
***souvenir:** *m.* memory, remembrance, recollection, souvenir; **se — de,** to remember, recall
***souvent,** often
souveraine, *f.* sovereign, queen
spécialiste, *m.* specialist
***spectacle,** *m.* sight, show, spectacle
spectateur, *m.* spectator
***spirituel, -le,** spiritual, witty, of the mind
spontanément, spontaneously
sport, *m.* sport
sporti-f, -ve, sporting, relating to sport; *m.* athlete
stade, *m.* stadium
statistique, statistical, pertaining to statistics
stratégie, *f.* strategy
strictement, strictly
strident, strident, shrill, grating
studio, *m.* study, studio
stupéfait, amazed, surprised, astonished
stupeur, *f.* stupor, amazement, stunned inaction
stupide, stupid, senseless
submergé, submerged
subside, *m.* subsidy, aid
subsister, to subsist, exist
subtil, subtle, keen, cunning
substance, *f.* substance
succéder (à), to succeed, follow, be a successor (to)
***succès,** *m.* success, result
successeur, *m.* successor
succession, *f.* succession
successivement, successively
succomber, to succumb, sink, yield, die, give in
***suffire,** to suffice, be enough
***suffisant,** sufficient, adequate
suggérer, to suggest, hint
suicider: se —, to commit suicide
***suite,** *f.* succession, continuation, following, result; **tout de —,** immediately, right away, at once
***suivant,** following; *prep.* according to
suivre, to follow; **— un cours,** to take a course

***sujet,** *m.* subject, matter; **au — de,** about, as to, on the subject of
***supérieur,** superior, higher, upper; **enseignement —,** higher education
suppliant, *m.* supplicant, beggar
supplice, *m.* punishment, pain, torment
***supplier,** to beg, entreat
supportable, bearable, tolerable
***supporter,** to support, sustain, endure, bear, maintain
***supposer,** to suppose, infer
***supprimer,** to suppress, abolish
***sur,** on, upon, above, out of, of, about, concerning
***sûr,** sure, safe, certain; **à coup —,** certainly, unquestionably
suranné, superannuated, expired, out-of-date, antiquated
***surface,** *f.* surface
surmenage, *m.* overwork
surmener, to overwork
surprenant, surprising, amazing
***surprendre,** to surprise, take by surprise, find out
surpris, surprised, astonished
***surprise,** *f.* surprise, astonishment
sursis, *m.* delay, respite, reprieve
***surtout,** especially, above all
surveillance, *f.* supervision, direction
***surveiller,** to watch over, guard, superintend
susceptible, susceptible, sensitive, touchy
susceptibilité, *f.* susceptibility, sensitiveness
sycomore, *m.* sycamore
symbole, *m.* symbol
symbolique, symbolic
sympathique, congenial, sympathetic
synthèse, *f.* synthesis, composition

T

***table,** *f.* table
***tableau,** *m.* picture
***tâche,** *f.* task, job
***tacite,** tacit, implied
tact, *m.* tact
tactique, tactical
***taille,** *f.* height, stature, waist, figure, shape; **prendre la —,** to put one's arm around the waist
***taire: se —,** to be silent
***talent,** *m.* talent, gift, faculty
tambour, *m.* drum, barrel
***tandis que,** while
***tant,** so much, so many, as much, as many, as long; **— que,** as long as
***tantôt,** soon, presently, just now; **— . . . —,** now . . . now
tapissé, adorned, covered
***tard,** late
technique, technical
***tel, -le,** such, like, similar; **— que,** such as; **un —,** such a
télégramme, *m.* telegram
téléphoner, to telephone
***tellement,** so, so much
***témoin,** *m.* witness
température, *f.* temperature
tempête, *f.* tempest, storm
***temps,** *m.* time, weather; **de — à autre,** from time to time; **en même —,** at the same time
tendance, *f.* tendency, inclination
***tendre,** tender, affectionate; *verb,* to stretch, stretch out, extend, hand (over), hold out
tendrement, tenderly
tendu, stretched, covered
ténèbres, *f. pl.* darkness, night, gloom, shadows
ténébreu-x, -se, dark, gloomy
***tenir,** to hold, keep, cling, consider; **se —,** to consider oneself; stand, sit, stay, be; **— pour,** to consider as; **— à,** to be anxious to, care for, be attached to; **tiens,** look!; **— à coeur,** to interest greatly; **— bon,** to stand one's ground

tentation, *f.* temptation
***tenter,** to tempt, attempt; **— un essai,** to make an attempt
ténu, tenuous, thin, weak
***terme,** *m.* term, word, end, time
***terminer,** to end, terminate
***terrain,** *m.* ground, lot, site
***terre,** *f.* earth, ground, land
terrestre, earthly
***terreur,** *f.* terror, fear, dread
***terrible,** terrible, horrible, dreadful
terrifier, to terrify
***tête,** *f.* head
têtu, stubborn, headstrong
texte, *m.* text, subject
thé, *m.* tea
***théâtre,** *m.* theatre
thème, *m.* topic, subject, theme
thèse, *f.* thesis
tiède, lukewarm, mild, soft
timide, timid, shy
***tirer,** to pull, pull off, draw, drag, obtain, get, shoot, fire; **s'en —,** to get along, manage; **— parti de,** to make something of, use
tiroir, *m.* drawer
***titre,** *m.* title
titulaire, titular; *m.* incumbent
***toile,** *f.* linen, cloth, canvas; **— à fleurs,** cloth having a floral design
toit, *m.* roof
***tomber,** to fall, tumble
***ton,** *m.* tone, voice, pitch, color, shade
tonner, to thunder
torpeur, *f.* torpor, inactivity, lethargy, stupor
***tort,** *m.* wrong, harm; **avoir —,** to be wrong
***tôt,** soon, early; **le plus — possible,** as quickly as possible
touchant, touching, moving, affecting
touché, touched, moved, affected
***toucher,** to touch, stroke, move, feel, hit; **— à,** touch, concern
***toujours,** always, ever, continually, still
***tour,** *f.* tower
***tour,** *m.* turn, trick, walk, revolution
***tourner,** to turn, revolve, spin, phrase
tourniquet, *m.* turnstile; **— de loterie,** lottery wheel
***tous, toutes,** *pl. of* **tout, toute,** all, every: **— (les) deux,** both
***tout,** all, every, whole, quite; **(pas) du —,** not at all; **— à l'heure,** a little while ago, in a little while; **— de suite,** immediately, at once; **rien du —,** nothing at all; **de —e manière,** in any case; **— entier (ère),** in its entirety; **à — jamais,** forever and ever; **— en,** while; **à — propos,** at every opportunity; **— de même,** all the same; **— à fait,** completely
tout-puissant, all-powerful, almighty
***trace,** *f.* trace, mark, track
traduction, *f.* translation
***traduire,** to translate; **se —,** to be expressed
tragique, tragic
***trahir,** to betray, reveal
***train,** *m.* train, pace; **être en — de,** to be in the act of, to be about to, be busy
***traîner,** to drag
***trait,** *m.* trait, feature, characteristic, line
traitement, *m.* treatment, salary
***traiter,** to treat, deal, negotiate, come to terms
tranche, *f.* slice
***tranquille,** quiet, still, calm, peaceful
tranquillité, *f.* calmness, peacefulness
transaction, *f.* transaction, arrangement, compromise
***transformer,** to transform, change

(into); **se — (en),** to be transformed (into), be changed (into)
transition, *f.* transition
transmettre, to transmit, send on, convey, pass along, transfer
transmutation, *f.* transmutation, changing
***transporter,** to transport, convey
transposer, to transpose
trappeur, *m.* trapper
***trav-ail,** *m.* (*pl.* **-aux**), work, workmanship, labor; **cabinet de —,** study, work-room
***travailler,** to work, labor, cultivate
traversée, *f.* crossing
***traverser,** to cross, pass through, pierce
***trente,** thirty
trente-cinq, thirty-five
***très,** very, very much, most
triompher (de), to triumph, overcome
tripler, to triple, treble
***triste,** sad, sorrowful, gloomy
***trois,** three
***troisième,** third
tromblon, *m.* blunderbuss, gun
***tromper,** to deceive, delude; **se —,** to be mistaken
***trop,** too, too much, too many
***trouble,** *m.* anxiety, confusion, distress, disorder
***troubler,** to disturb, upset, excite
***trouver,** to find, discover, consider, think; **se —,** to be, to be located (situated), feel, happen
tube, *m.* tube
***tuer,** to kill
***type,** *m.* type, mode, manner
tyrannie, *f.* tyranny

U

ultra-télescope, *m.* powerful telescope
***un, une,** a, an, one; **l'un et l'autre,** both; **l'un(e) l'autre,** each other
unanime, unanimous
uni, united, smooth, even, level, uniform, plain, simple, harmonious
uniforme, *m.* uniform
***unique,** only, sole, single, unique, unprecedented
uniquement, solely, only
universellement, universally
universitaire, university, academic; *m.* member of a university
université, *f.* university
***usage,** *m.* use, usage, custom
usuel, -le, usual, customary, ordinary, common
***utile,** useful
utilement, usefully
utilisable, useful, usable
utilité, *f.* usefulness, benefit, profit

V

vacances, *f.pl.* vacation
***vague,** vague, uncertain, indistinct
vaguement, vaguely, indefinitely
***vain,** vain, conceited, useless
valable, valid, available
***valeur,** *f.* value, worth
***valoir,** to be worth; **faire —,** to emphasize, stress; **— mieux,** to be better
***vanité,** *f.* vanity, conceit
vaniteu-x, -se, vain, conceited
vanter, to praise; **se —,** to boast
variation, *f.* variation
variété, *f.* variety, diversity
vase, *f.* slime, mud
vase, *m.* vase
***vaste,** vast, wide, spacious
végétation, *f.* vegetation, adenoids
***veille,** *f.* watch, vigil, day before
***veiller,** to keep awake, keep watch; **— sur,** to keep watch over, look out for, guard; **— à ce que,** to see to it that
vendeur, *m.* salesman
***vendre,** to sell (for)

vénérable, venerable, to be respected
***venir**, to come; **— de**, to have just; **où voulez-vous en —?** what are you driving at? **— chercher**, to come and get
***vente**, *f.* sale; **services de —**, sales office
verb-al (*pl.* **-aux**), verbal, oral, by word of mouth
véridique, veracious, truthful
vérifier, to verify, check, examine, prove
***véritable**, real, true, genuine, veritable
***vérité**, *f.* truth; **à la —**, in truth, in fact
***verre**, *m.* glass
***vers**, towards, to, at, about; *m.* verse
***verser**, to pour, shed
version, *f.* version, translation
***vert**, green
***vertu**, *f.* virtue, good quality
vertueu-x, -se, virtuous, upright, worthy
vestibule, *m.* hall, lobby, vestibule
vestimentaire, of clothes, pertaining to clothes
veston, *m.* jacket
***vêtir (de)**, to clothe (in), dress (with), cover (with)
veto, *m.* veto
veuve, *f.* widow
vibration, *f.* vibration
***victime**, *f.* victim, sufferer
***victoire**, *f.* victory, triumph
***vide**, empty
vidé, empty, exhausted
vide-poche, *m.* work table *or* basket, tidy
vider: se —, to be emptied, be (become) empty
***vie**, *f.* life, lifetime
vieillard, *m.* old man
***vieille**, *f.* old woman
vieillir, to grow old, age
***vieux, vieil, vieille**, elderly, old
***vi-f, -ve**, alive, quick, keen, bright, vivid, lively
vigilant, watchful, vigilant
vigoureu-x, -se, vigorous
vigoureusement, vigorously
vigueur, *f.* vigor, strength, power, energy
***ville**, *f.* city, town
***vin**, *m.* wine
***vingt**, twenty
***vingt-cinq**, twenty-five
***violence**, *f.* violence, outrage
***violent**, violent, vehement
violer, to violate, ravish, outrage
***visage**, *m.* face, look
vis-à-vis, opposite, with respect to
***visible**, visible, obvious
vision, *f.* vision, sight, dream, fancy
***visite**, *f.* visit, call; **carte de —**, calling card; **rendre —(à)**, to call (on); **rendre sa —**, to return his (one's) call
visiteur, *m.* visitor
visuel, -le, visual, pertaining to the sight
***vite**, quick, fast, quickly; **au plus —**, as quickly as possible
***vivant**, living, alive
***vivement**, quickly, sharply, keenly, eagerly, strongly
***vivre (de)**, to live, live (on), exist
vocation, *f.* vocation, calling
***voeu**, *m.* vow, wish
***voici**, here is, here are
***voilà**, there is, there are
***voir**, to see
***voisin**, neighboring, adjoining; *m.* neighbor
***voisinage**, *m.* neighborhood, neighborliness
voisine, *f.* neighbor
***voiture**, *f.* car, carriage, vehicle
***voix**, *f.* voice; **à haute —**, aloud; **à — basse**, in a whisper
***voler**, to steal, fly

***volonté,** *f.* will
***volontiers,** willingly, gladly, readily, with pleasure
volume, *m.* volume, bulk, mass, size
vote, *m.* vote
***votre,** *pl.* **vos,** your; **le (la) vôtre, les vôtres,** yours
***vouloir,** to wish, want, expect; — **bien,** to be willing; **où voulez-vous en venir?,** what are you driving at?
***vous,** you, to you, yourself, to yourself
vous-même, yourself
***voyage,** *m.* trip, voyage; **faire un —,** to take a trip
***voyageur,** *m.* traveler, traveling salesman
voyant, *m.* glass plate
***vrai,** true, real, genuine
***vraiment,** truly, really
vraisemblable, probable, likely
vulgaire, vulgar, common
vulnérable, vulnerable

Y

***y,** *adv.* there; *pron.* to, (at, in, on) it (them), *etc.*; **il — a,** there is, there are; — **compris,** including
yeux, *m. pl. of* **oeil,** eyes

Z

zone, *f.* zone